MONOGAMIE VOOR BEGINNERS

Van Yvonne Kroonenberg verschenen eerder:

Alle mannen willen maar één ding (1986)
Alles went behalve een vent (1989)
Kan ik hem nog ruilen? (1991)
Zij houdt van hem. Hij ook (1993)
Nog één man om het af te leren (verzamelbundel, 1995)
Het zit op de bank en het zapt (1997)
Nee, dan die van mij (verzamelbundel, (2000)
Meneer als ik u zie heb ik zo'n zin in ruzie (2002)
Wat rijmt er op huwelijk? (2004)
Een ster aan het stuur (2005)

Yvonne Kroonenberg

MONOGAMIE VOOR BEGINNERS

Waarom we niet eens zo vaak vreemdgaan

2006
Uitgeverij Contact
Amsterdam/Antwerpen

Tweede druk oktober 2006

© 2006 Yvonne Kroonenberg
Omslagontwerp Via Vermeulen/Rick Vermeulen
Foto omslag © Juniors Bildarchiv/Alamy
Auteursfoto © Ronald Hoeben
ISBN 90 254 2505 4
978 90 254 2505 0
D/2006/0108/951
NUR 770

www.uitgeverijcontact.nl

Voor Harko

Een beetje
Verliefd was je wel meer, meneer, dat weet je
Je hart kwam wel eens meer op een ideetje
Dat speet je, maar ach, weet je
Soms vergeet je wel
Een beetje gauw
Je eedje
Van trouw!

Teddy Scholten, 1959

Inhoud

De moraal

'Ben jij ooit vreemdgegaan?' vroeg ik jaren geleden aan mijn moeder.

'Ja hoor,' antwoordde ze blijmoedig, 'maar ik vond er niks aan.'

'Waarom deed je het dan?'

Ze haalde haar schouders op. 'Hij wou zo graag,' zei ze, 'en ik heb een keer gezoend met de verloskundige die jou heeft gehaald. Niet daarna hoor, veel eerder.'

We hadden het nog even over de moeilijke bevalling, maar niet over de moraal. Daar had ze geen zwaarwegende opinie over.

'Ik zou het wel heel erg vinden als je vader vreemd zou gaan. Heeft hij wel eens een ander gehad?' liet ze er onmiddellijk op volgen, want ze wist dat mijn vader nog wel eens iets aan mij vertelde waarvan het hem beter leek als zij het niet wist.

'Nee,' zei ik, 'hij heeft het van harte geprobeerd, maar het is voor zover ik weet niet gelukt.'

Het was niet waar. Mijn vader had een vriendin, een leuk mens met wie hij af en toe vrijde als er even niet op hem werd gelet. Hij zorgde ervoor dat niemand daaronder leed, mijn moeder niet en de vriendin al evenmin, want zij was ook getrouwd en voor haar was het, net als voor mijn vader, een clandestien genoegen waar zij zichzelf op trakteerden.

Mijn ouders hielden van elkaar, al hebben ze vanzelfsprekend ook slechte tijden meegemaakt. Dat ze nooit zijn gescheiden, ligt voor een deel aan de financiële gevolgen die dat zou hebben. Met vier kinderen begin je niet zomaar een nieuw leven. Maar ik denk dat ze ook bij elkaar zijn gebleven omdat ze er geen groot protocol op na hielden. Ze waren buitengewoon vrijzinnig van opvatting. Van hen heb ik geleerd dat je het meest van de liefde geniet als je er niet te veel reglementen aan verbindt en je verwachtingen niet hoger stelt dan een mens kan waarmaken.

Om dit boek te kunnen schrijven, heb ik veel gelezen over sociologie, psychologie, sociobiologie en evolutiepsychologie. Van alle schrijvers en onderzoekers heb ik iets geleend en niet teruggegeven. Ik heb hun kennis gebruikt en er mijn eigen gevolgtrekkingen uit gemaakt. Waar ik ook mee aan de haal ben gegaan zijn de verhalen die mijn vrienden, kennissen en zelfs wildvreemden mij hebben verteld over hun woelige liefdesleven. Ik heb hier en daar iets veranderd, geschiedenissen samengevoegd of een beetje anders geïnterpreteerd dan de bedoeling was, toen ze mij in vertrouwen namen. Als iemand iets meent te herkennen dat hem niet welgevallig is, ligt het daaraan.

Toen ik genoeg verhalen had verzameld en gelezen, zat ik inmiddels zo vol wetenschap dat ik er almaar over wilde praten. Daar zat niemand op te wachten. Wanneer ik vertelde waar ik mee bezig was, waar mijn boek over zou gaan, was er maar één belangstellende vraag: 'Mag het?'

Ik heb niet geprobeerd daar een antwoord op te geven. Het morele pad is nogal glibberig en ik heb de verkeerde schoenen aan.

Het zou trouwens niks uitmaken of ik zeg dat vreemdgaan mag of dat ik het juist met klem zou afraden. De mensen doen het toch, ook als ze het niet van plan waren of er hoogstaande principes op na houden. Dat wist ik al voor ik aan dit boek begon. Maar wat volstrekt nieuw voor mij was, is de wetenschap dat vogels ook niet deugdzaam leven, dat apen zingen, dat wandelende takken soms heteroseksueel zijn, dat vrouwtjesknaagdieren een orgasme kennen en dat kalkoenen geen haan nodig hebben om zich voort te planten.

Omzwervingen brengen je nog wel eens ergens waar je anders nooit zou zijn gekomen, dus in dat opzicht had Roodkapje gelijk: blijf nooit op het rechte pad, want dan beleef je niets.

Aan de andere kant heb ik een grote hekel aan ontrouw. Als je je liefde of vriendschap verklaart aan een ander, of dat een mens is of een dier, moet je die belofte gestand doen.

Houd de liefde in ere, bewaar het geheim.

1. Eeuwig trouw

'Zwaluwen,' zei mijn vriendin, 'blijven altijd bij elkaar, hun leven lang. Nooit gaan ze vreemd.'

'Ik moet je teleurstellen,' antwoordde ik, 'ze gaan wel degelijk vreemd. Alleen weet de ander dat niet, dus gaan ze niet uit elkaar.'

Ze keek me beteuterd aan.

Onder de dakrand van haar huis zitten zwaluwnesten en ieder voorjaar opnieuw geniet ze van de ware liefde van die beestjes.

'Ze vliegen de hele dag af en aan. Alles doen ze met z'n tweeën,' protesteerde ze, 'ze broeden samen, ze verzorgen de jonge vogeltjes en als een van de twee doodgaat, sterft de andere. Van verdriet,' voegde ze eraan toe.

Ik schudde ontkennend mijn hoofd.

'Niks ervan,' zei ik, 'zo zijn zwaluwen niet. Dat lijkt maar zo.'

Er is veel onderzoek gedaan naar de liefdestrouw van vogels. Daarbij werd niet alleen gekeken naar openlijke copulaties met buitenechtelijke partners, maar ook naar de herkomst van de jongen. Met DNA-monsters is tegenwoordig tamelijk eenvoudig vast te stellen welk mannetje de eieren heeft bevrucht.

Wanneer de rechtmatige echtgenoot duidelijk niet de verwekker is geweest, is er geen twijfel: hier heeft overspel plaatsgevonden. Sommige vogels gaan werkelijk schaamteloos vreemd: winterkoninkjes bijvoorbeeld. David Westneat, professor in de ecologie, heeft een proefneming gedaan in Australië, waar een familielid van het Nederlandse winterkoninkje woont. Bij dat vogeltje bleek maar liefst 76 procent van de eieren van de melkboer te zijn.

Terwijl de mensen hun best doen iets van het huwelijk te maken en zich zo goed mogelijk aan hun eed van trouw te houden, belijden de vogels het tegendeel.

Niet alle soorten gaan zich in gelijke mate te buiten. Boerenzwaluwen zijn inderdaad tamelijk trouw.

Volgens Anders Pape Møller, een Deense onderzoeker, ligt dat aan hun verenkleed. Dat ziet er bij alle individuen ongeveer hetzelfde uit. Volgens hem hangt de mate waarin vogels vreemdgaan samen met hun uiterlijk. Hoe meer de mannetjes en vrouwtjes op elkaar lijken, des te minder zin heeft het om vreemd te gaan.

Pape Møller deed een experiment met boerenzwaluwen. Bij boerenzwaluwen kun je bijna niet zien wie het mannetje is en wie het vrouwtje. Het enige verschil is dat de mannetjes iets langere staartveren hebben. Bij één mannetje plakte de onderzoeker een paar extra lange veertjes aan de staart. Met dat mannetje wilden alle vrouwtjes vrijen.

Maar misschien was Pape Møller voorbarig met zijn berichtgeving over zwaluwen, want huiszwaluwen, die ook ternauwernood van elkaar te onderscheiden zijn, leven heel wat frivoler dan hun boerenfamilie van het platteland. Gene Morton, een Amerikaanse ornitholoog, heeft onderzoek gedaan naar huiszwaluwen.

In de achtertuin van Morton was in de lente een zwerm volwassen huiszwaluwen neergestreken. Daar stond een groot vogelhuis. De zwaluwen werden geringd en de onderzoeker nam DNA-monsters. Daarna liet hij de vogels hun gang gaan.

Ze betrokken de vogelflat en zongen het hoogste lied om vrouwtjes aan te lokken. Zodra dat was gelukt, bouwden ze nesten en joegen alle vreemde mannetjes de tuin uit. Maar toen de eieren eenmaal waren gelegd en de vrouwtjes zaten te broeden, veranderde er iets in hun gedrag. Het leek warempel wel of ze spijt hadden gekregen van hun ongastvrije houding van weleer. Niet alleen waren onbekende soortgenoten welkom in de tuin, ze werden zelfs aangemoedigd om het zich gemakkelijk te maken. *Bouw ook zo'n nest!* leken de oorspronkelijke bewoners te roepen, *er is plek zat!* Nu schijnt het voor eerstejaars huiszwaluwen niet gemakkelijk te zijn om onderdak te vinden. Iedere mogelijkheid om te nestelen wordt gretig aanvaard. Al spoedig zaten er nieuwkomers in de nestkasten en legden ze eieren. Toen die uitkwamen, wandelde de onderzoeker de achtertuin in en nam DNA-monsters van alle jonge vogeltjes.

De uitkomst van de proef was verrassend. De zwaluwen met de oudste rechten waren voor 96 procent de verwekker van hun eigen broed, maar van de eieren van de later gearriveerde vogeltjes was maar liefst de helft door de huisbaas bevrucht!

'Mannen!' zei mijn vriendin laatdunkend, 'die gaan nu eenmaal met zo veel mogelijk vrouwen naar bed.'

Zij kan het weten, want haar eigen man was, zolang hun huwelijk duurde, een verschrikkelijke schuinsmarcheerder. Zij is met hem getrouwd toen ze achttien was en zo onnozel dat ze aanvankelijk niets merkte van het overspel. Op een verjaardag van een familielid ging het gesprek over vreemdgaan. Er werd koffie en taart rondgedeeld en een tante vertelde dat ze er pas na de dood van haar man achter was gekomen dat hij geregeld een *slippertje* had gemaakt.

'Ik had dat woord nog nooit gehoord,' vertelde mijn vriendin, 'wist ik veel wat een slippertje was! Ik dacht dat ze bedoelde dat hij wel eens naar een andere vrouw had gekeken of met haar had geflirt. O, dat zou ik niet zo erg vinden, zei ik nog. Toen we later die avond thuiskwamen, vertelde mijn man dat hij ook slippertjes had gemaakt. Hij noemde allerlei namen op van vriendinnen van mij. Wat heb je daar dan mee gedaan? vroeg ik in mijn onschuld en toen vertelde hij dat hij met ze naar bed was geweest, niet één keer maar heel vaak.'

Hij beloofde beterschap maar kon zich niet beheersen. Wanneer hij een vrouw zag moest hij proberen haar aan zijn rapier te rijgen en dat lukte maar al te vaak.

'Mannen zijn niet te vertrouwen,' verklaarde mijn vriendin.

'Vrouwen ook niet,' zei ik en alweer kon ik verwijzen naar de vogels. 'Er is een experiment gedaan waarbij de mannetjes van een groep lijsters werden gevangen en een uur lang afgezonderd werden gehouden van hun vrouwtjes. Het gevolg was dramatisch. Het territorium werd onmiddellijk overspoeld door rivalen en de vrouwtjes lieten zich enthousiast bevruchten door Jan en alleman.'

Mijn vriendin liet haar hoofd mistroostig hangen.

'Is er dan niet één vogel die zich een beetje inhoudt?' vroeg ze.

Ik trok een bedenkelijk gezicht. De natuur is niet erg stichtelijk.

Jared Diamond, een Amerikaanse fysioloog die veel onderzoek heeft verricht naar het gedrag van vogels, vertelt hoe de bonte vliegenvanger, die toch als monogaam te boek staat, zijn echtgenote aan alle kanten bedriegt. In de lente zoekt het mannetje een geschikte plek om te nestelen, perkt zijn territorium af en lokt een vrouwtje aan. Zodra hij er een heeft gevonden, paart hij met haar en blijft zo veel mogelijk aan haar zijde, tot zij de eerste eitjes legt. Alleen als hij eten moet zoeken, vliegt hij even bij haar weg. Zo kan hij verzekerd zijn dat hijzelf de vader is van het nageslacht. Het vrouwtje verliest nu tijdelijk haar belangstelling voor de liefde, want zij broedt. In deze periode is zij ook niet vruchtbaar. Dat komt het mannetje goed uit. Hij gaat opnieuw een eindje vliegen, ditmaal wat verder weg. Een paar honderd meter verderop vindt hij een tweede nestplaats, verovert opnieuw een vrouwtje en blijft in de buurt, tot ook zij eieren begint te leggen. Dan moet hij als de wiedeweerga terug naar zijn eerste bruid, want de leg komt uit, zij zal spoedig opnieuw vruchtbaar zijn en hij moet voedsel aandragen. Maar liefst veertien keer per uur brengt hij eten naar het nest. Dan komt de tweede serie vogeltjes uit het ei en ook daar moet hij voor zorgen. Dat lukt niet zo goed. Maar zeven maaltijden per uur kan hij brengen.

De concubine en haar kinderen lijden honger en het mannetje beleeft ook niet veel plezier van zijn twee gezinnen. Hij vliegt zich een ongeluk met al die opengesperde snaveltjes die *papa! papa!* roepen.

Het deed me aan Jaap denken, een kennis uit het café die verschrikkelijk rijk had kunnen zijn, want hij is iets creatiefs in de reclamewereld. Hij rijdt in een enorme auto en heeft een indrukwekkend gouden horloge aan zijn pols, maar is in feite straatarm. Dat komt door zijn seksuele gulzigheid. Hij is in zijn jonge jaren met het mooiste meisje van de middelbare school getrouwd. Een paar weken na de bruiloft ging hij al vreemd. Na een poosje kreeg zijn jonge vrouw dat in de gaten en ze haatte hem erom, maar ze heeft hem er pas na een jaar of zes uit gegooid, toen een van de vriendinnen zwanger bleek te zijn en niet van plan was daar een geheim van te maken. Bij de scheiding heeft de rechtmatige echtgenote Jaap uit wraak helemaal leeggetrokken. Hij is toen met de aanstaande moeder getrouwd, maar die is daar niet gelukkig van geworden. Zij klaagt voortdurend dat er voor haar zo weinig overschiet.

Ik heb nooit medelijden met haar gehad, want ze wist waar ze aan begon.

Dat weet het tweede vrouwtje van de bonte vliegenvanger niet. Zij heeft er geen notie van dat haar man al een nestje heeft. Dat komt doordat het mannetje wel uitkijkt om het in de buurt van zijn eerste huwelijk met een ander aan te leggen. Er zitten altijd een paar tuinen tussen, waar andere mannetjes zitten te kwinkeleren. Het zou hem veel schelen in reistijd als hij het overspel dichter bij huis zou houden. Dan zou hij meer voedsel kunnen zoeken, bovendien kunnen er dan niet zo gemakkelijk indringers misbruik maken van zijn afwezigheid. Want dat gebeurt ook.

Diamond beschrijft minutieus hoe dat in zijn werk gaat: 'Er zijn ongeveer evenveel mannetjes als vrouwtjes in een populatie bonte vliegenvangers. Doordat vrijwel alle mannetjes vreemdgaan of daar tenminste op uit zijn, zijn alle vrouwtjes bezet en schieten er vrijgezelle mannetjes over. Die proberen op hun beurt de vrouwtjes van wie het mannetje niet thuis is te bevruchten, zodra zij weer ontvankelijk zijn. Bovendien komen er mannetjes van tien tuinen verderop langs om te kijken of er nog wat te regelen valt.

Soms komen de vrijgezellen luid zingend het verboden territorium binnen, soms besluipen ze stilletjes het onbewaakte nest. De laatste methode werkt het best. De indringer weet wanneer de rechtmatige echtgenoot van huis is om voedsel te zoeken of om zijn tweede nest te bezoeken, want zelf woont hij niet ver weg, meestal in een belendend perceel.'

Jared Diamond maakt zich bepaald vrolijk over de gang van zaken: 'In de eerste akte van Mozarts opera *Don Giovanni* schept knecht Leporello op dat zijn baas in Spanje maar liefst 1003 vrouwen heeft verleid.

Dat lijkt heel wat, tot je bedenkt hoe lang een mens leeft. Als de don die veroveringen in een tijdspanne van dertig jaar heeft behaald, betekent het dat hij één vrouw in elf dagen verleidde. Dat moet te doen zijn. Als een bonte vliegenvanger zijn nest even verlaat, dient zich binnen 10 minuten een rivaal aan en die heeft het binnen 34 minuten voor elkaar dat het vrouwtje zich beschikbaar stelt.'

Diamond kan goed tellen. Hij schrijft dat 29 procent van de paringen die plaatsvinden buitenechtelijke escapades zijn en 24 procent van de jongen niet van de echtgenoot is. Hij heeft een rekensom gemaakt om te bepalen wie er het beste of het minst van afkomt bij de bonte vliegenvanger, als je het principe hanteert, dat elk individu zich ten doel stelt zijn eigen genen zo veel mogelijk te vermenigvuldigen.

'Het mannetje dat bedrogen wordt, heeft de slechtste kaart. Voor hem is al dat overspel een evolutionaire ramp. Hij verspilt van zijn korte leven een heel broedseizoen met het voeden van vogeltjes die zijn genen niet dragen. En al zou je denken dat het dan de bedrieger moet zijn die erbij wint, ook hij heeft er niet veel baat bij. Terwijl hij erop uitgaat om een vrouwtje dat niet het zijne is te bevruchten, kan iemand anders zijn nest betreden om daar zijn genen te deponeren.'

Het duizelde mij wel bij het lezen van al die doortrapte vliegenvangers. Eigenlijk heeft alleen het eerste vrouwtje plezier van de mannetjes. Wie ook haar partner is, haar broed is in ieder geval van haar. Het tweede vrouwtje kan daar natuurlijk ook zeker van zijn, maar zij krijgt weer te weinig te eten. Van de mannetjes hebben alleen de vrijgezelle exemplaren plezier van de seks, ook al hebben ze geen eigen nest. In het nest van een ander zitten wel degelijk hun jongen en ze hoeven er niet eens zelf voor te zorgen.

Voor de moraal moet je vooral niet bij de vogels zijn, zoveel is duidelijk. Ze líjken alleen hoogstaand, zo vredig en eendrachtig. Geen wonder dat de mensen hen als vroom voorbeeld beschouwen.

Aan het eind van de negentiende eeuw schreef de victoriaanse dominee F.O. Morris in *The History of British Birds* een passage over de heggenmus. Hij had die nederige vogeltjes geobserveerd en zich gesterkt gevoeld in zijn godsbesef toen hij zag hoe het mannetje en het vrouwtje samen een nest bouwden en samen voor het broed zorgden.

'De heggenmus vertoont in houding en verenkleed een patroon dat velen – ook in hogere kringen – zouden moeten navolgen! Dit zowel ten voordele van henzelf, alsook teneinde anderen een goed voorbeeld te geven.'

Het is niet te hopen dat de hogere kringen zijn raad ter harte hebben genomen.

Net als de bonte vliegenvanger blijft het mannetje van de heggenmus na de paring dicht bij het vrouwtje en helpt, wanneer de eitjes zijn uitgekomen, met foerageren. Maar inmiddels weten wij dat de trouw die het mannetje in de wittebroodsweken tentoonspreidt uitsluitend bedoeld is om ervoor te waken dat het vrouwtje niet iets met de buurman begint. Daar heeft hij alle redenen voor, want heggenmussenvrouwtjes hebben doorgaans nóg een man. Zodra het eerste mannetje even wegvliegt, vermoedelijk om zelf ook vreemd te gaan, snelt de minnaar toe.

Uit een Britse studie over heggenmussen die door Nicholas Davies werd verricht in de botanische tuin van Cambridge, bleek dat de mannetjes proberen zo veel mogelijk vrouwtjes te bevruchten, terwijl de vrouwtjes hun best doen beide mannetjes de indruk te geven dat zij en alleen zij de vader van hun broed kunnen zijn, zodat ze zich alle twee geroepen voelen om te helpen bij de voedselvoorziening.

Misschien zijn de mannetjes die wederrechtelijk het territorium betreden daar wel extra ijverig in. Dat vermeldt het onderzoek van Nicholas Davies niet.

Ik denk dat het bij mensen wel zo is. Minnaars zijn vaak bijzonder genereus. Ze geven cadeautjes en zelfs als ze zich niet in materiële zaken gul kunnen betonen, omdat een vrouw nu eenmaal niet met juwelen waarvan ze de herkomst niet kan vertellen thuis zal aankomen, zijn ze extra lief, begrijpend en attent op de behoeften van hun vriendin.

Een collega van mij heeft een poosje een getrouwde minnaar gehad. Thuis bij zijn vrouw deed hij niet veel meer dan in een luie stoel zitten met in zijn ene hand een biertje en in de andere de afstandsbediening, maar als hij bij haar was, putte hij zich uit in geestige conversatie en belezenheid en dronk hij dure Franse bourgogne, die hij meebracht om haar te laten weten wat een verfijnde smaak hij had.

Een poos lang voelde mijn collega zich een verwende prinses, maar toen de romance twee jaar had geduurd, begonnen de weekends en de schoolvakanties waarin haar minnaar zich niet liet zien, omdat de kinderen voorgingen, haar steeds zwaarder te vallen.

Na een heftige scène met veel verwijten maakte ze het uit.

'Maar ik mis de cadeautjes!' zei ze later sip.

'Je hebt toch een baan!' protesteerde ik, 'koop je eigen wijn!'

Dat was niet hetzelfde, vond ze.

Ook dat gedrag ken ik van de vogels, gewone huismussen deze keer. Misschien doen alle andere vogels net zo, dat weet ik niet, want deze observatie heb ik niet uit gedegen onderzoek maar van de zomerse terrassen. Daar hipten vroeger talloze mussen rond. Mannetjeshuismussen zijn duidelijk van vrouwtjes te onderscheiden door hun kleur. 'Kijk eens wat schattig!' zei ik eens tegen een vogelkenner met wie ik thee zat te drinken, 'dat vadertje voert zijn jonkie.'

De vogelkenner wierp een blik op het tafereel en keek me lachend aan.

'Dat is geen jonkie,' weerlegde hij, 'dat is zijn verloofde. Die doet net of ze hulpeloos is. Dan krijgt ze eten van hem.'

Het is maar goed dat dominee Morris al dood is. Zijn wereld zou wankelen. Die van mijn vriendin stond ook niet erg sterk meer overeind na mijn lange uiteenzetting over de vogels.

'Zwanen dan misschien?' opperde ze zwakjes.

Van zwanen wordt verteld dat ze maar één keer in hun leven verliefd worden en dan voor altijd bij elkaar blijven, tot de dood hen scheidt.

Ik heb het opgezocht in het boek waarin de andere vogelexperimenten beschreven stonden en inderdaad: zwanen zijn elkaar eeuwig trouw. Dat komt doordat ze zo op elkaar lijken. Er valt niks te kiezen, dus kijkt niet één zwaan om naar een betere partij. Maar wanneer de ene sterft, blijft de andere niet lang alleen. De liefde is sterker dan het verdriet.

2. Paringsrituelen

'Zie jij die vriendin uit Oostende nog wel eens?' vroeg een kennis die ik in de stad tegenkwam.

'Nee,' antwoordde ik spijtig, 'sinds ze niet meer vreemdgaat, spreek ik haar nooit meer. Ze had me niet meer nodig, denk ik.'

Vroeger belde zij mij geregeld, voor een gehaast gesprek waarin ze dringend vroeg tegen haar vriend te zeggen – mocht hij mij bellen – dat ze in het weekend met mij samen in Limburg ging wandelen, zou winkelen in Antwerpen of fietsen in de Achterhoek.

Tijdens onze gefingeerde uitstapjes lag zij met haar minnaar in bed, helemaal niet in de Achterhoek, maar in Oostende.

Ik vond het niet erg om voor haar te liegen. Haar man belde mij nooit en ik wist dat ik alleen maar op de hoogte werd gehouden van haar escapades zolang ik medeplichtig wilde zijn.

'Vond je dat niet... eh, vervelend?' vroeg de kennis. Ze wendde haar blik af en ik begreep dat zij met vervelend immoreel bedoelde.

'Nee hoor,' zei ik. Ik vond het wel interessant, zo schaamteloos als zij vreemdging. Bovendien wist haar man het allang. Hij deed net of hij haar bewaakte, maar hij ging zelf ook vreemd bij het leven. Voor de buitenwereld hielden ze de schijn op dat ze elkaar trouw waren, hoewel ik er ook eens bij was toen hij tegen haar tekeerging.

'Waarom ga jij vreemd!' riep hij.

'En wat zei zij toen?' vroeg de kennis gespannen.

Ik grinnikte. 'Ze zei: *"Omdat wij ons anders dood zouden vervelen met elkaar."* Ze had misschien nog gelijk ook. Saai was het nooit tussen hen, ze hadden een levendige verhouding.'

De kennis haalde wrevelig haar schouders op. 'Waarom zou je vreemdgaan als je het samen goed hebt? Ik vind het al ingewikkeld genoeg om het met één man leuk te houden, laat staan met twee.'

'Of drie of vier,' vulde ik aan, want zij uit Oostende hield het niet bij die ene minnaar.

'Wat haal je je aan!' riep de kennis uit. Het afgrijzen stond op haar gezicht. 'Zoveel seks is toch niet te doen?'

Zonder het te weten had ze een belangwekkend wetenschappelijk probleem aan de orde gesteld. Seks vergt een grote inspanning van een organisme. Het is inderdaad niet te doen.

Om samen voor nageslacht te zorgen moeten twee partners elkaar ontmoeten en duidelijk maken wat de bedoeling is. Daar gaat het dikwijls al mis. Schorpioenen bijvoorbeeld, hebben een ingewikkeld paringsritueel dat voor de vrouwelijke schorpioen maar ternauwernood te onderscheiden is van de voorbereidselen voor een maaltijd. Schorpioenen grijpen elkaar vast en schuifelen over de grond van links naar rechts, heen en weer. Het mannetje van de schorpioen hoeft maar één verkeerde danspas te maken of het vrouwtje is ervan overtuigd dat ze een prooi in haar scharen houdt, niet haar minnaar, en begint smakelijk te eten.

Iets dergelijks overkomt de roodrugspin, al krijgt het mannetje dan nog net de gelegenheid de liefdesdaad te voltooien voor hij wordt opgegeten. Zijn beminde heeft geen idee dat er sprake is van een paring. Wat haar betreft zit er voedsel op haar rug en verder niks. Ik vroeg mij af waarom het mannetje zich niet gauw uit de voeten maakte zodra haar gulzige kaken zich in zijn richting bewogen. *Dan maar geen seks!* zou ik denken. Maar er bestaat een aannemelijke verklaring voor zijn zelfmoordactie. Roodrugspinnen leven tamelijk solitair. Ze komen niet vaak een soortgenoot tegen en zeker geen vruchtbaar vrouwtje. Als zich een gelegenheid voordoet om te paren, grijpt het mannetje die onvoorwaardelijk aan. Het is dé enige kans om zijn genen door te geven. Bovendien maakt het nageslacht dat uit de verbintenis voortkomt een veel betere kans op overleving als de moeder weldoorvoed is. Daarom laat het mannetje zich niet alleen verorberen, hij buigt zich zelfs uitnodigend voorover om zijn bovenlichaam aan te bieden. Dan heeft mevrouw nog wat om handen, zodat hij zijn taak tot een goed einde kan brengen. De paring duurt langer als zij er wat bij te peuzelen heeft.

Van mannetjesbidsprinkhanen is ook bekend dat zij meestal het leven laten omwille van de seks, maar in tegenstelling tot de roodrugspin wil de bidsprinkhaan helemaal niet opgegeten worden. Hij benadert het vrouwtje uitermate omzichtig. Telkens als zij naar hem omkijkt, blijft hij doodstil zitten. Hij komt alleen dichterbij als zij er geen erg in heeft, om ten slotte met een grote sprong op haar rug te belanden, als hij geluk heeft. Doet hij het verkeerd en wordt zijn kop eraf gebeten, dan voltooit het restant van zijn lichaam het werk. Dat kan doordat het vrouwtje met de kop ook een klier heeft verorberd die zijn paringsbeweging onder controle houdt. Als een op hol geslagen klopboor gaat het onderlijf tekeer en deponeert het zaad.

Maar soms heeft de bidsprinkhaan geluk en kan hij zich uit de voeten maken na de daad. Het vrouwtje heeft dan wel honger.

Zelfs voor dieren die het verschil tussen eten en paren beter onderkennen dan schorpioenen, bidsprinkhanen en roodrugspinnen eindigt de liefde nog wel eens in de dood.

Woerden kunnen zo heftig tekeergaan dat het eendje dat ze hadden willen bevruchten verdrinkt, paddenvrouwtjes zeulen soms zeven vrijers op hun rug, zodat ze onder de liefde bezwijken. Merries schoppen de hengst die het op hun kuisheid heeft voorzien kreupel, katers berokkenen de krolse poes heftige pijn bij de penetratie. Seks is lang niet altijd leuk en kost ook nog verschrikkelijk veel energie. Maar liefst 20 tot 25 procent van de voedselopname van een organisme is bestemd voor de seksualiteit.

'Zou ik afvallen als ik wat meer werk van de seks

zou maken?' giechelde een vriendin aan wie ik dat vertelde. Ik weet dat ze er geen donder aan vindt in bed en er alleen een paar keer per maand aan begint omdat ze bang is dat haar man anders vreemdgaat. Dat doet hij toch wel, maar dat weet zij niet, of ze doet net alsof ze het niet weet. Ze is nogal lui.

'Het zou best kunnen,' antwoordde ik, 'toen ik mijn hond liet steriliseren, waarschuwde de dierenarts mij dat ik haar minder eten moest geven, anders zou ze dik worden.'

Het gaat natuurlijk niet om de seks alleen, maar om de instandhouding van de cyclus. Honden zijn maar één keer per halfjaar loops. Dat kost al een halve voerbak.

Mensen hebben er veel meer werk aan. Afgezien van de maandelijkse eisprong, de opbouw van het baarmoederslijmvlies en de aanmaak van sperma, is een groot deel van ons sociale leven gericht op werving en selectie van een liefdespartner. De kunst, de conversatie, sport en spel, het zijn allemaal toevoegingen die niet bedoeld zijn voor de overleving, maar voor de pr en ten behoeve van de seks.

'Onze taal,' schrijft Steven Pinker, een Britse evolutiepsycholoog, 'heeft vanaf de oertijd verschillende functies gehad. Mannen konden hun stamgenoten vertellen waar ze zouden gaan jagen en door middel van taal konden ze overleggen hoe ze zouden samenwerken om een prooi te verschalken. Vrouwen konden elkaar vertellen waar de beste vruchten en wortels groeiden. Ouders konden hun kinderen instrueren. Maar door te praten kun je ook vrienden maken en een liefdespartner veroveren.'

Geoffrey Miller, een Amerikaanse psycholoog die gespecialiseerd is in evolutionaire processen, gaat nog verder: 'Mensen hebben een enorm grote woordenschat. Een volwassene leert tussen zijn tweede en achttiende levensjaar maar liefst honderdduizend woorden. Daarvan gebruikt hij er een paar duizend omwille van een direct doel, niet meer. Dat betekent dat 95 procent van de woordenkennis geen speciaal nut heeft. Vijfduizend woorden waar je wat aan hebt en 95 000 voor de sier! Die worden alleen ingezet om te laten zien wat een uitmuntend exemplaar je bent en hoe goed je kunt leren.'

Woordenschat als aanwijzing voor intelligentie wordt tegenwoordig soms betwist. Technici staan erom bekend dat ze niet zo best formuleren, computeradepten communiceren liever met de virtuele wereld dan met iemand die er een stofwisseling op na houdt en dat merk je wanneer ze toch eens proberen wat te babbelen. Daarentegen kan iemand oliekoekendom zijn en toch kunstzinnig of heel gevoelig in de sociale omgang. Die eigenschappen zou je ook een vorm van intelligentie kunnen noemen en ze zijn zeker een aanbeveling voor een liefdesverbintenis. Maar verbale vaardigheid verhoogt zeker iemands status, al is die nog zo nederig.

Ik kom geregeld in cafés, niet in moderne cafés waar jongeren graag heen gaan of in chique zaken, maar in buurtcafés. Als je daar aankomt met praatjes voor de vaak die 95 000 woorden beslaan, vinden de klanten je een zwamneus. Toch bestaat ook in het buurtcafé een hiërarchie van droeve dronkaards waar ternauwernood nog wat uit komt tot mensen die verhalen vertellen, met daartussen nog degenen die proberen er wat van te maken door moppen te tappen of de reclames van de televisie na te doen. Dat doen ze om in de smaak te vallen, om te pronken.

Geoffrey Miller wijst ook op de wervende functie van de muziek. Voor de directe overleving heeft muziek geen betekenis. Slangen laten zich niet bezweren, ratten lopen niet met de muziek mee. Muziek dient uitsluitend voor de betovering van soortgenoten. Daarin staan mensen niet alleen. Vogels zingen, kikkers ook, al kunnen ze geen wijs houden, walvissen zingen en ook gibbons brengen prachtige duetten ten gehore, serenades voor hun geliefde.

'Waar je ook kijkt in de natuur,' zegt Geoffrey Miller, 'als een dier een ingewikkeld geluid voortbrengt, is dat vrijwel altijd bedoeld voor de hofmakerij.'

Iemand die muziek maakt, laat volgens evolutiebiologen zien hoe het gesteld is met zijn artistieke aanleg, zijn motorische beheersing en zijn zelfvertrouwen, allemaal eigenschappen die te pas komen als je jezelf als begeerlijke partner wilt aanprijzen.

Niet iedereen houdt zowel van Mozart, van jazz als van popmuziek. Maar over de hele wereld bestaat overeenstemming over toon, melodie en ritme. Als je kunt laten horen dat je die beheerst en er zelfs mee kunt improviseren, is dat een advertentie voor je verkieslijkheid.

Ook bij andere studies over flirten en veroveren lees ik dat het juist de overbodige versierselen zijn die een aanbeveling vormen voor het andere geslacht om zich met die persoon, met dat individu, voort te planten. Een extra fraai verenkleed, een langere staart, een manenkam, allemaal ballast waar niemand wat aan lijkt te hebben. Vooral mannetjes torsen van alles mee, van pauwenstaart tot Porsche, zaken die alleen bedoeld zijn om indruk te maken op vrouwtjes. Zou het niet beter zijn iets te laten hangen of te laten staan dat ook nut heeft?

Evolutiebiologen zijn van mening dat het juist de bedoeling is om er alleen toevoegingen op na te houden die geen direct doel dienen. Als een dier zich kan veroorloven een enorme pluimstaart te kweken of een felgekleurd verenpak, laat hij zien dat hij in goede doen is, dat hij gezond is en sterk. Met een grote terreinwagen in de stad rondrijden of in de file staan heeft ook niet de minste zin, maar om vrouwen aan te lokken werkt het vast.

Wat hier speelt is Zahavi's 'Handicap Principle'.

In 1975 schreef Amotz Zahavi, een Israëlische bioloog, een artikel in *The Journal of Theoretical Biology*, waarin hij opperde dat kenmerken die schijnbaar nergens voor dienen en die een hoop energie kosten, bedoeld zijn om een liefdespartner te veroveren om nakomelingen mee te verwekken.

Als voorbeeld nam hij de pracht van de pauw. Die pronkveren zitten hem in de weg wanneer hij op de vlucht moet slaan en ze kosten het lichaam verschrikkelijk veel voedingsstoffen. Ten eerste om ze te laten groeien, ten tweede om ze knap te houden. Waarom zou de pauw geen gemakkelijke doordeweekse veren nemen, zodat hij nog eens ergens heen kan vliegen?

Het antwoord is natuurlijk dat de vrouwtjes er oog voor hebben, niet omdat ze zo leuk staan in een vaasje, maar omdat een pauw die zich kan veroorloven met zo'n ornament rond te lopen, wel een voortreffelijke genendrager moet zijn. Hij is klaarblijkelijk sterk genoeg om met staart en al te vluchten, mocht dat nodig zijn, en aan voedingsstoffen om de kleuren bij te houden heeft hij ook al geen gebrek.

'Die vent wil ik!' denken de pauwenvrouwtjes.

Kristen Hawkes, een Amerikaanse antropologe, heeft een kwantitatief onderzoek gedaan naar de voedselvoorziening van de Aché-indianen, die in het noorden van Paraguay wonen. Vóór 1970, toen de Aché-indianen ten dele overgingen op de landbouw, leefden ze van de jacht, van bijenhoning die door de mannen werd gewonnen, en van de wortels, noten, vruchten en insectenlarven die door de vrouwen werden verzameld.

Nog steeds bestaat het grootste deel van hun voedsel uit die dingen. Hawkes telde de dagelijkse opbrengst. Wat de vrouwen betreft bleek die tamelijk voorspelbaar. Er was iedere dag voldoende te eten, gemiddeld 10 356 calorieën, genoeg voor de moeder zelf en haar kinderen. Het aandeel dat de mannen inbrachten verschilde enorm. Als een man een groot dier wist te doden, kwam hij aan maar liefst 40 000 calorieën, maar dat gebeurde niet vaak.

Meestal haalde hij de 5000 niet eens.

Je zou zeggen dat een man, als hij zich een goede echtgenoot of een goede toekomstige echtgenoot wilde betonen, beter met de vrouwen mee kon gaan, het bos in. Mannen zijn sneller en sterker, allicht zouden ze met veel meer vruchten en noten thuiskomen. Maar dat doen Aché-indianen in de regel niet.

Hawkes beperkte haar onderzoek niet alleen tot de boodschappenmand. Zij verdiepte zich ook in de omgangsvormen binnen de stam.

Wanneer een man een groot dier doodt, deelt hij het vlees met iedereen, met andere mannen en andere vrouwen, niet in de eerste plaats met zijn eigen vrouw en kinderen. Het is dus helemaal niet de bedoeling van de mannen uitsluitend hun eigen gezin te voeden.

Aché-indianen zijn niet bijzonder streng in de huwelijksmoraal. Buitenechtelijk verkeer wordt oogluikend toegestaan. Gevraagd naar de mogelijke vader van zesenzestig Aché-kinderen, noemden de moeders gemiddeld 2,1 man per kind. Daarbij waren de namen die ze noemden in veel gevallen die van goede jagers.

Het is dus nuttiger voor een Aché-man die, zoals de natuur het hem dicteert, eropuit is zijn genen zo veel mogelijk te vermenigvuldigen, om af en toe met veel moeite en risico een groot beest te doden en daarmee de kans te vergroten dat hij wordt uitgenodigd voor de seks, dan om met een mand op zijn rug en een prikvork in zijn hand het bos in te trekken met zijn echtgenote. Het is natuurlijk ook veel spannender en leuker, niet alleen voor de man zelf maar ook voor zijn vriendinnen. Met hem kun je lachen, vinden ze, en hij geeft nog eens een stukje vlees weg.

Overbodige zaken dienen dus een doel, al is het er maar één: seks.

3. De seksualiteit

Waarom bestaat seks? Waarom planten zoveel organismen zich geslachtelijk voort, terwijl het zoveel vrediger kan, praktischer ook en zuiniger in het gebruik, via de parthenogenese.

Voor die vorm van reproductie zijn geen mannetjes nodig en geen bevruchting. De vrouwtjes kopiëren hun eigen genen en geven ze door aan de volgende generatie. Omdat er geen tijd wordt verdaan met het zoeken van een partner, en omdat ieder individu zich met al zijn genen voortplant en niet met de helft, zoals bij de seksuele variant, levert de parthenogenese nog meer nakomelingen op ook!

Dat weet ik maar al te goed! Ik heb lange tijd wandelende takken als huisdier gehouden. Wandelende takken vermenigvuldigen zich vrijwel zonder tussenkomst van mannetjes. Van de beheerder van het insectenhuis van Artis had ik er drie gekregen, maar binnen de kortste keren had ik een terrarium vol twijgjes. Die werden in een razend tempo groot en plantten zich kuis maar vastberaden voort. Ik kon de ene tak niet van de andere onderscheiden, maar ik herinner me wel dat er soms wat onrust heerste in het terrarium. Achteraf denk ik dat het de zeldzame seks was die de ruzie veroorzaakte.

Een enkele keer wordt in een populatie wandelende takken een mannetje geboren. Dan hebben de takken even geslachtsverkeer en is het meteen gedaan met de huiselijke vrede.

In een artikel over wandelende takken werd de tussenkomst van mannetjes behandeld. Ilona Clail, een Britse biologe, nam waar dat een vrouwtje werd belaagd door een mannetje. Het vrouwtje was daar niet van gediend, maar het lukte haar niet zich van haar aanrander te ontdoen, tot er een andere damestak te hulp schoot en hem met een welgemikte stoot van haar legbuis van de rug van haar vriendin wist te meppen.

Bij een andere gelegenheid zag Clail hoe een vrouwtje dat kennelijk wel gediend was van de attenties van een aanwezig mannetje, evengoed niet tot een copulatie kon komen, doordat een ander vrouwtje tussenbeide kwam, ditmaal om het mannetje zelf te verleiden.

Niet alleen sommige insecten en weekdieren planten zich parthenogenetisch voort. Er zijn ten minste zevenentwintig soorten reptielen die zich klonen, wespen doen het bij gelegenheid en tot mijn verrassing bleken kalkoenen ook geregeld de seks te versmaden en de voortplanting zonder tussenkomst van sperma te regelen. Maar bij hen is het geen goed teken. Er is een parasiet of een virus voor nodig om de seksualiteit uit te schakelen. Als kalkoenen in goeden doen zijn, copuleren ze.

Dat is ook beter voor de nakomelingen.

DNA raakt op den duur te zeer beschadigd om nog dienst te kunnen doen. Daarom zijn nieuwe genen nodig. Genetische vermenging heeft ook een gunstige invloed op het afweersysteem. Het schijnt heilzaam te zijn om af en toe een nieuw wijsje op het repertoire te zetten.

Uit een onderzoek van Curtis Lively, die in Nieuw Zeeland onderzoek heeft gedaan naar parasieten bij slakken, bleek dat de slakken als razenden begonnen te paren wanneer ze aan parasieten ten onder dreigden te gaan.

Vaak paren bevordert ook de vruchtbaarheid. Dat is in verscheidene onderzoeken vastgesteld. Hoe meer nakomelingen er worden geboren des te groter is de kans dat die een mutatie hebben in hun genoom waardoor ze bestand zijn tegen de parasieten. Slakken doen het dus niet voor de aardigheid.

Organismen worden onafgebroken belaagd door ziekteverwekkers. Dat kunnen virussen zijn, bacteriën of parasieten, die een infectie veroorzaken. Ziekteverwekkers passen zich snel aan en planten zich met een duizelingwekkende vaart voort, zodat het voor de gastheer een slopende wedstrijd is om de vernietiging voor te blijven en het leven te behouden om het door te geven. Dit heet de 'Hypothese van de Rode Koningin', door L. van Valen (1973) vernoemd naar de Rode Koningin uit het boek van Lewis Carroll *Through the Looking Glass*, het tweede deel van *Alice in Wonderland*:

Alice is door de spiegel gestapt en is in een bloementuin terechtgekomen, waar de rozen haar weten te vertellen dat ze niet de enige is die door spiegels stapt. De Rode Koningin doet het geregeld, beweert een roos. Daarom besluit Alice de Rode Koningin te gaan zoeken. Maar hoe meer zij zoekt, hoe minder zij haar vindt. Pas als ze wegloopt van de Rode Koningin, komt zij haar tegen. De Rode Koningin neemt haar mee naar de top van een heuvel en legt onderweg uit dat heuvels in dalen kunnen veranderen, recht in krom en dat alles verkeert in zijn tegendeel. Dan begint ze te rennen. Alice holt haar achterna, maar merkt dat geen van beiden vooruitkomen.

'Waarom rennen wij zo hard?' hijgt Alice.

'Je zult wel moeten als je op dezelfde plaats wilt blijven,' antwoordt de Rode Koningin.

Alleen al om zijn positie te behouden, moet een organisme zorgen dat het de ziekteverwekkers keer op keer verslaat. Dat kan alleen als het zich voortdurend vernieuwt, en dat kan alleen met seksuele voortplanting.

Ik was al helemaal bereid deze uitleg als afdoende te beschouwen en het hoofdstuk *Waarom seks* te sluiten, toen ik een artikel las waarin ook deze theorie ontoereikend wordt bevonden.

Er bestaan bloedzuigerachtige diertjes in vijvers en modderslootjes, die tegen kou kunnen en tegen extreme hitte. Bdelloid rotifers heten ze en ze zijn niet kapot te krijgen, want ze hebben een fenomenaal aanpassingsvermogen. Waar ze ook terechtkomen, in willekeurig welke biotoop, verspreiden ze zich met een snelheid die haar weerga niet kent en dat met uitsluitend meisjes. Want de Bdelloid rotifer heeft in de vijftig miljoen jaar dat zij bestaat nooit seks gehad. Zij plant zich parthenogenetisch voort.

John Maynard Smith, een Engelse bioloog, die deze diertjes bestudeerde, noemde hen een evolutionair schandaal. In ieder geval kegelen ze de stelling omver, dat seksualiteit de beste methode is om aanpassingen aan een veranderende omgeving te bewerkstelligen.

'Geen enkele theorie kan het bestaan van seks afdoende verklaren,' zegt Leo Beukeboom, hoogleraar genetica aan de Universiteit van Groningen in een artikel over seks, in *NRC Handelsblad*.

'Je zou hopen dat voor iets dat zo opvallend is, zoveel voorkomt en bovendien het fundament van de biologie raakt, een onweerlegbare theorie bestaat,' beaamt zijn collega Rolf Hoekstra, hoogleraar in Wageningen, 'maar die is er niet. Op alles valt wel wat af te dingen. Zo is er de veronderstelling dat door de seksualiteit een grotere genetische variatie ontstaat, waardoor betere genencombinaties worden gevonden. Maar er worden ook goede combinaties verbroken. Mozarts kinderen konden al veel minder goed pianospelen dan Mozart.'

Eén theorie wordt wel beschouwd als veelbelovend. Die oppert dat de seksualiteit de mogelijkheid biedt om schadelijke mutaties te repareren.

Dat zou vooral voordelig zijn voor dieren die een groot aantal genen hebben, want bij hen komen nogal eens ongewenste mutaties voor. Overigens is er maar een beetje seks nodig om dat positieve effect te bereiken.

Leo Beukeboom heeft zich verdiept in een zoetwaterplatworm die zich in het algemeen door middel van de parthenogenese voortplant maar in 12 procent van de gevallen aan seks doet.

'Dat is tamelijk veel,' vindt de geneticus, 'bladluizen en watervlooien doen het alleen even voor de winter intreedt. Voor de rest planten ze zich parthenogenetisch voort.'

'Zo zouden wij dat ook moeten kunnen,' zei mijn luie vriendin dromerig, 'dat je alleen met Kerstmis en Pasen seks hebt en op de eerste dag van de vakantie. Verder niet.'

'Vergeet het maar,' antwoordde ik streng, 'wij komen nooit meer van de seks af. Wij hebben veel te veel genen. Om die in goede conditie te houden is voortdurende verbetering nodig, dus zijn mensen aangewezen op de seks.'

'Goed, dan maar seks,' gaf mijn vriendin wrevelig toe, 'andere dieren hebben ook seks. Maar die doen het alleen als het lente is, of in de herfst. Waarom kijken onze kerels ons iedere dag zo waterig aan?'

'Omdat mensen geen zichtbare vruchtbaarheid kennen,' is het antwoord van Jared Diamond, die niet alleen onderzoek naar het gedrag van vogels heeft gedaan, 'moderne vrouwen kunnen aan hun temperatuur of aan de toestand van hun slijmvlies misschien zien of ze een eisprong hebben, maar dat heeft de natuur niet zo ontworpen. Vrouwen zijn altijd ontvankelijk, ook als ze zwanger zijn, ook na de overgang, ook als ze zeker weten dat ze niet zwanger kunnen worden, vlak na de menstruatie.'

'En wees jij maar tevreden met onze mensenseks,' vulde ik aan, 'want ik lees hier dat buidelratten gemiddeld twaalf uur met de copulatie bezig zijn, bonobo's doen de hele dag niet veel anders dan links en rechts vrijen, Barbary-makaken beklimmen elkaar in de vruchtbare dagen om de zeventien minuten en vrouwtjesbavianen zijn eens in de maand bronstig en doen het dan wel honderd keer en met ieder mannetje dat ze in de groep aantreffen.'

Mensen zouden iedere dag, de hele dag, kunnen copuleren, maar dat komt er meestal niet van. Hoe vaak iedereen het doet is niet zo duidelijk. Seksualiteit wordt niet, zoals bij de meeste dieren, in het openbaar bedreven en wanneer er weer eens een enquête wordt gehouden, liegen de mensen erop los om maar vooral geen verkeerde indruk te maken. Het vermoeden is dat de meeste echtparen, al dan niet getrouwd, al dan niet van verschillend geslacht, streven naar een gemiddelde van twee keer per week. Alleen als ze verliefd tot over hun oren zijn, is de frequentie veel hoger en wanneer ze op elkaar zijn uitgekeken ontlopen ze de huwelijksplicht.

De verborgen ovulatie is een bijzondere omstandigheid. De meeste andere vrouwtjesdieren laten in geuren en kleuren weten dat het zover is. Alleen aan mensen en bonobovrouwtjes kan niemand zien of ruiken of ze vruchtbaar zijn of niet. Bonobovrouwtjes zien er altijd uit alsof ze ovuleren en bij mensenvrouwen is er juist helemaal niks te zien. Er moet een reden zijn waarom die eigenschap post heeft kunnen vatten in de genen, waarom onbeperkte seksuele bereidwilligheid een voordeel is.

Voor de bonobo's bestaat een aannemelijke verklaring.

In de zoogdierenwereld is het niet ongebruikelijk dat een mannetje zuigelingen die niet van hem zijn, vermoordt. Als het vrouwtje niet meer zoogt, wordt ze kort daarop vruchtbaar en paart met haar nieuwe verloofde. De jongen die dan worden geboren zijn vrijwel zeker van hem, dus beschermt hij die.

Bonobovrouwtjes paren met iedereen, ook als ze zwanger zijn en ook als ze zogen. Alleen wanneer ze ongesteld zijn is er een korte pauze. Door de verregaande promiscuïteit weet niet één mannetje wie de vader van de nakomelingen is en komt infanticide niet voor. Maar voor bescherming hoeven de jongen ook niet bij de mannetjes aan te kloppen. Ze doen niet aan moord maar ook niet aan verzorging. Ze hebben het te druk met lol trappen en feestbeesten.

Volgens Frans de Waal, een Nederlandse primatoloog die in Amerika woont en werkt, was de omgeving voor de primitieve mens te gevaarlijk om zich het onbekommerde leven van de bonobo te kunnen veroorloven. Toen de mens de relatieve veiligheid van het bos verruilde voor de savannen, werd hij bijzonder kwetsbaar. Wij zien onszelf graag als roofdieren, als jagers en veroveraars, maar we zijn prooidieren. Er waren hyena's en katachtige roofdieren die op mensen loerden. Hardlopen kunnen wij maar even en onze tanden en nagels zijn volstrekt niet opgewassen tegen aanvallers. Alleen door samen te werken kon de mens overleven.

Daarom ontwikkelden mannen een band met elkaar en werd het belangrijk dat vrouwen duidelijkheid gaven over het vaderschap, anders zou niet één man-netje zijn best doen voor een moeder en kind.

Mensenkinderen zijn extreem lang afhankelijk, ten minste acht tot tien jaar en soms zelfs veel langer, voor ze voor hun eigen eten, behuizing en bewassing kun-nen zorgen. Vrouwen kunnen de opvoeding onmoge-lijk in hun eentje volbrengen. De hulp van de vader is onontbeerlijk. Een man zou er niet over piekeren mee te helpen in de voedselvoorziening en de kinderbe-scherming als hij niet zeker was dat het zijn eigen kin-deren zijn die bij hem thuis de luiers bevuilen. Die ze-kerheid kan hij alleen hebben als hij de enige man is die zijn vrouw kan benaderen. Zij moet dus kuis zijn ten opzichte van vreemden en alleen seksueel actief met haar eigen man. Bovendien moeten de andere mannetjes hun poten thuishouden, wanneer de echt-genoot op reis is om een mammoet te verschalken.

'In de natuur is niets voor niets,' schrijft Frans de Waal, 'toen de mens zijn nomadische bestaan opgaf en bezittingen ging verzamelen, werd het nog belang-rijker dat de man de zekerheid had dat het zijn eigen kinderen waren die erfden wat hij in zijn leven had verworven. De obsessie met maagdelijkheid en kuis-heid werd daardoor onvermijdelijk.'

En daarmee deden de ongelijkwaardigheid van de geslachten en de beteugeling van de vrouw hun in-trede.

Het valt niet mee een gezonde jonge meid van de seks te weerhouden. Voor zover ze zich niet uit on-nozelheid laat versieren, verliest ze haar maagdelijk-heid uit nieuwsgierigheid, door plotseling opbloeien-de verliefdheid of om te bewijzen hoe volwassen ze al is. Om te verhinderen dat de kuisheid er voortijdig bij inschiet, worden meisjes vaak al direct na de eerste ongesteldheid uitgehuwelijkt. Dat gebeurt op veel plaatsen in de wereld en niet alleen in landen waar de islam de belangrijkste godsdienst is. Vóór de uitvinding van de anticonceptiepil stond in de westerse wereld de angst voor onbedoelde zwangerschap het plezier in de liefde ook danig in de weg. Wanneer jonge mensen kort na hun ontmoeting trouwden, rekenden alle bruiloftsgasten uit wanneer het eerste kind zich waarschijnlijk zou aandienen. Dat was geen goedmoedig sommetje. Een *moetje* was een schande. De witte bruidsjurk die een meisje op haar huwelijksdag droeg, verwees naar haar zuiverheid, haar onaangetaste maagdelijkheid.

Ik heb in 1968 een jaar in het zuiden van de Verenigde Staten gewoond, waar het christendom de mensen meer dwang oplegde dan de grondwet. Ik was achttien en opgegroeid in een bijzonder vrijzinnige omgeving. Voor ik vertrok, kreeg ik de anticonceptiepil.

Ik wist wel dat mijn ouders erg modern waren, maar pas in de Amerikaanse *biblebelt* besefte ik dat er een heelal gaapte tussen mij en de leeftijdgenoten die ik daar tegenkwam.

Maagdelijkheid was daar een vereiste voor een net meisje. Mij vonden ze een sloerie, omdat ik onbekommerd meldde dat ik thuis, in Nederland, wel een vriendje, maar evengoed geen trouwplannen had. Mijn bandeloosheid werd aan mijn exotische afkomst toegeschreven. Nederland lag immers vlak bij Zweden, misschien maakte het zelfs wel deel uit van Scandinavië en iedere godvrezende Amerikaan wist wat daar allemaal gebeurde.

In vertrouwelijke gesprekken biechtten mijn klasgenoten mij op dat ze zelf ook geen maagd meer waren, een schandelijk geheim dat ik aan niemand mocht doorvertellen.

In de veertig jaren die inmiddels zijn verstreken, is wel het een en ander veranderd, maar nog steeds wordt de seksuele samenleving vóór het huwelijk in streng christelijke huisgezinnen met klem afgekeurd.

In islamitische landen is de moraal doorgaans meedogenlozer dan in gebieden waar de joods-christelijke tradities overheersen. Moslimmeisjes die hun maagdelijkheid verliezen, verkwanselen de eer van de hele familie. Daarom worden ze bewaakt en onderdrukt. Volwassen vrouwen over wie twijfel bestaat over hun huwelijkstrouw moeten voor hun leven vrezen.

De Amerikaanse antropologe Helen E. Fisher wijst, net als Frans de Waal, op de veranderde leefwijze van de mens, nadat hij het zwervende bestaan had opgegeven, gewassen leerde verbouwen en bezittingen verwierf. Maar volgens Fisher is er nog een factor die de onderwerping van vrouwen aan de mannelijke overheersing teweeg heeft gebracht: de uitvinding van de ploeg.

'Waarschijnlijk is er in de geschiedenis van de mensheid geen stuk gereedschap geweest dat zoveel ellende heeft aangericht tussen mannen en vrouwen en zoveel veranderingen heeft veroorzaakt in de seksualiteit en de liefde als de ploeg,' schrijft zij in haar boek *Anatomy of Love; The Natural History of Monogamy, Adultery and Divorce*.

'De eerste boeren maakten gebruik van een schoffel en een graafstok. Toen ontstond de *ard*, een primitieve ploeg met een stenen graafblad en een handvat. Dat maakte een enorm verschil. In culturen waar de schoffel werd gebruikt, deden de vrouwen het merendeel van het werk op het land en hadden ze relatief veel macht. Met de komst van de ploeg, die veel meer kracht vereiste, werd boerenwerk mannenwerk en beschouwde men de vrouw als de mindere van de man.'

Helen Fisher benadrukt dat het verschil in maatschappelijk aanzien niet alleen bij boeren voorkomt. Hij doet soms ook opgeld bij volkeren die dieren hoeden en gemeenschappen die van de jacht en van het verzamelen van voedsel leven. Maar alleen daar waar de ploeg wordt gebruikt, staat het machtsverschil in de wet.

'Er zijn wel vrouwen geweest die zich konden ontworstelen aan hun ondergeschikte positie, die de baas hebben gespeeld over mannen, maar in de lange Europese agrarische geschiedenis is de vrouwelijke seksualiteit altijd aan banden gelegd. Anders dan nomadische vrouwen, die erop uittrokken om voedsel te zoeken en met waardevolle zaken thuiskwamen, met nieuwtjes en nieuws, die een eigen leven leidden, moest de boerenvrouw op het erf blijven en was zij economisch en sociaal afhankelijk van haar man.'

En scheiden was er ook al niet bij. Je kunt een akker niet in tweeën delen en hem meenemen naar een nieuw bestaan.

Maar het was niet alleen de ploeg die de pret voor vrouwen heeft bedorven. Door de vaste woon- en verblijfplaats verwierf een echtpaar eigendommen en van eigendom krijg je oorlog. Oorlog is mannenwerk.

Vrouwen zijn van huis uit niet ontworpen voor de strijd. Ze hebben een lager testosterongehalte dan mannen en de correlatie tussen dat hormoon en het streven naar een hoge sociale rang is in verscheidene onderzoeken aangetoond.

Er is nog een stof die van invloed schijnt te zijn op het verwerven van macht en leiderschap: serotonine. Bij groene meerkatten, een apensoort, is een duidelijk verband aangetoond tussen het serotoninegehalte in het bloed en de positie in de leefgemeenschap. Die plaats was ook beïnvloedbaar met toediening van de stof. Wanneer de onderzoeker een groene meerkat injecteerde met serotonine, ging hij zich gedragen als een hooggeplaatste aap, en omgekeerd daalde zijn rang wanneer het serotoninegehalte kunstmatig omlaag werd gebracht. Ook bij mensenmannen is dat verband aangetoond, door Robert H. Frank in 1985. Hij deed onderzoek naar leiderschap onder studenten. Het bleek dat aanvoerders van sportteams en vooraanstaande studenten een hoger serotoninegehalte in het bloed hadden dan de andere groepsleden.

Bij vrouwen bestaat die samenhang trouwens niet. Die hebben wel wat anders aan hun hoofd dan de baas worden en de baas blijven. In feite staat hun positie onomstotelijk vast: ze zijn de moeder van hun kinderen. Evolutionair gezien hebben vrouwen altijd gewonnen.

4. De spermaoorlog

Ik logeerde met mijn verloofde op het platteland, in het huis van vrienden. Ze hadden een open haard en een groot fornuis. Zonder dat wij er een afspraak over hadden gemaakt, zorgde mijn verloofde voor brandhout en ik voor de warme maaltijd. Dat is een traditionele verdeling van taken en daarom niets bijzonders. Maar toen wij aanstalten maakten om terug te keren naar de stad en wij het huis netjes wilden achterlaten, maakte hij ook een sopje en ging de tegels van de douchecel lappen, terwijl ik de keuken schoonmaakte. Mijn verloofde en ik kunnen goed samenwerken. Dat is een uitzonderlijke prestatie, want dat kunnen mannen meestal niet. Ze hebben het te druk met winnen, om de voordelen van samenwerking te ontdekken. Als twee mannen iets moeten verrichten, moeten ze eerst uitmaken wie de baas is en de bevelen uitdeelt en wie die moet opvolgen.

Mannen wedijveren niet alleen voortdurend met elkaar, ze vechten ook tegen zichzelf. Als ze hardlopen verslaan ze hun recordtijd, als ze biljarten proberen ze hun moyenne te verhogen, als ze golfen verbeteren ze hun handicap.

Van de ochtend tot de avond is het oorlog voor een man. Zelfs wanneer hij in bed ligt, in de armen van een vrouw die hem omhelst, is er geen vrede, want ook daar voert hij strijd tegen mogelijke vijanden, die weliswaar klein zijn, maar bijzonder moeilijk te verslaan: de spermatozoïden van andere mannen.

Die kunnen zich zomaar in de vagina van zijn vrouw bevinden, daar geplaatst toen hij even niet oplette. Om ze te verwijderen maakt hij gebruik van hetzelfde gereedschap waarmee hij zijn eigen zaad deponeert: zijn penis.

De menselijke penis heeft een merkwaardige vorm. Hij is groot, dik en buigzaam. Andere aapachtigen hebben een veel kleinere. Een gorilla en een orang-oetan hebben er een van een centimeter of vijf en die van de chimpansee is ongeveer acht centimeter. De penis van een mens kan wel twintig centimeter lang worden.

Dat is heel groot, al bestaan er nog machtiger roeden. Blauwe vinvissen en bultrugwalvissen hebben er een van tweeënhalve meter lang en dertig centimeter dik. De penis van olifantstieren is anderhalve meter, die van wilde zwijnen bijna een halve meter en als zij ejaculeren spuiten ze meer dan een halve liter.

'Maar dat zijn grote beesten,' piepte een man aan wie ik dat vertelde. Hij is niet zo groot geschapen. Ik ben niet de enige die dat weet, zijn voltallige vriendenkring is ervan op de hoogte, want hij maakt er geregeld grapjes over. Hij heeft een vrouw die hem de leukste man van de wereld vindt, dus schort er niets aan het formaat van zijn zelfbeeld.

'Ik weet ook wel een klein beest,' antwoordde ik monter, 'er zijn slakken die een penis hebben die zo groot is als hun hele lichaam.'

Ik wilde er nog meer opsommen, maar hij onderbrak mij met een oud gezegde: 'Beter een kleine die steigert dan een grote die weigert!'

'Ja ja,' zei ik kortaf, want ik houd niet van spreekwoorden, 'maar die van chimpansees weigert nooit want er zit een botje in, dat ze met spierkracht overeind kunnen zetten, het baculum. En dolfijnen hebben een penis van bijna twee meter die ze alle kanten uit kunnen bewegen.'

Ik had nog even door kunnen gaan. Er bestaan veel wonderlijker penissen, bij de insecten en de weekdieren. Daar zitten flapjes aan, zweepstaarten, uitsteeksels en vorkjes, allemaal gereedschap om het de vrouwtjes naar de zin te maken.

Vooral insecten hebben dergelijke attributen aan hun penis. Insecten willen elkaar nog wel eens storen terwijl de liefdesdaad in uitvoering is. Dan proberen ze het mannetje van de klus af te duwen. Als insecten stotende bewegingen met hun penis zouden maken, zoals zoogdieren dat doen, lopen ze het risico dat ze hun houvast verliezen en een belager hun plaats inneemt.

Katers krijgen ook niet veel gelegenheid iets te maken van de seks. Omringd door rivalen, komen ze met één stoot tot hun gerief.

De meeste vogels maken ook meer van de versiering dan van de seks. Veel soorten hebben geen penis, maar een cloaca, een uitgang die ze op een andere cloaca kunnen aansluiten ten behoeve van de bevruchting.

Mensen en mensapen stoten de penis een poosje ritmisch in de vagina voor ze tot een ejaculatie komen. Die bewegingen zijn volgens sommige biologen bedoeld om de doorbloeding van de vulva te stimuleren, zodat het vrouwtje er ook wat aan beleeft.

Geoffrey Miller, de evolutiepsycholoog, is ervan overtuigd dat de vorm die een penis heeft en de kunstjes die hij kan laten zien, zijn ontstaan doordat de vrouwen er een voorkeur voor hadden. Een man die een fraaie penis heeft, die prettig vrijt, zijn zaadlozing een poosje kan uitstellen en misschien nog wat doet voor haar orgasme is een betere keus dan een miezerd die niks heeft hangen en de schamele uitrusting die hij bezit niet weet te gebruiken.

Als door de generaties heen de mannen met het grootste, meest buigzame, dikke gemacht werden uitgekozen, duurde het – evolutionair gesproken – niet lang of dergelijke penissen werden gemeengoed. Doordat de mens rechtop ging lopen, hadden de vrouwen een beter zicht op wat hun werd aangeboden.

Antropologe Maxine Sheets-Johnstone ziet het andersom. Zij veronderstelt dat de mens juist rechtop is gaan lopen om te laten zien wat hij in huis heeft. Andere primaten doen dat ook. Een chimpansee richt zich op wanneer hij een erectie aan te bieden heeft of hij gaat wijdbeens te kijk zitten. Dat gedrag kennen we ook van mensenmannen, al ken ik niet één vrouw die dat een leuk gezicht vindt.

De verklaring van Geoffrey Miller lijkt mij aannemelijker omdat hij daarmee ook aantoont waarom de borsten van de vrouw zich hebben ontwikkeld. Niet voor de melkproductie, want die heeft niets met vet te maken, maar met de melkklieren die onder de borsten liggen. Niet één zoogdier heeft borsten, al zwellen de tepels en het onderliggende weefsel wanneer een moederdier zoogt.

'Borsten,' zegt Geoffrey Miller stellig, 'zijn een perfecte indicatie van de geslachtsrijpheid, de leeftijd en de gezondheidstoestand van de vrouw. Als mannen in den beginne een voorkeur voor vrouwen met borstvorming aan de dag legden, dan zal dat kenmerk post hebben gevat in de erfelijke eigenschappen van de vrouw.'

Behalve groot, dik en buigzaam is de menselijke penis toegerust met een dikke eikel. Volgens Amerikaanse onderzoekers heeft die vorm een functie. Het is een bezem en wat hij vegen wil, is rivaliserend zaad. Tijdens de copulatie tracht de man door lang en diep te stoten eventuele zaadcellen van voorgangers bij de baarmoedermond weg te vegen.

Aan de Atlantic University in Florida is een onderzoek gedaan naar het seksuele gedrag van 302 jongemannen. Zij kregen een vragenlijst die zij moesten invullen. Er werd geïnformeerd naar de manier waarop zij de liefde bedreven, hoe lang de coïtus duurde, hoe diep in de vagina de man doorgaans probeerde te komen. Er waren ook vragen over de vrouw met wie zij vrijden. Was zij aantrekkelijk? Maakte de jongeman zich wel eens zorgen dat zij naar anderen zou kunnen lonken? Er bleek een samenhang te zijn tussen het gedrag van de man en het gevaar dat hij meende te ontwaren. Waakte de man over zijn vriendin, betoverde hij haar met cadeautjes en romantiek, was hij jaloers en bezitterig, dan vertoonde hij in bed ook de techniek die de onderzoekers in verband brachten met het verslepen van sperma.

Om te zien of het zin had om de vagina schoon te vegen, imiteerden de onderzoekers de copulatie met kunstpenissen zonder eikel en kunstpenissen die de vorm hadden die de natuur aan de man heeft gegeven. Van de penissen zonder eikel wist maar 35 procent aanwezig sperma te verslepen, terwijl maar liefst 91 procent van de realistische penissen succesvol was, als hij tenminste diep genoeg in de vagina gestoten werd.

Niet alleen het uiterlijk van de penis is berekend op overspel, ook de omvang van de teelballen houdt verband met de spermaoorlog.

In de dierentuin van Bristol kregen de mensapen in de jaren zeventig een nieuw onderkomen. Omdat het te gevaarlijk was ze zomaar te verhuizen, werden de apen verdoofd. Van die gelegenheid maakte de bioloog Roger Short gebruik. Hij deed onderzoek naar de voortplanting, en mat de testikels van de apen terwijl ze verdoofd waren.

De ballen van de gorilla's bleken kleiner te zijn dan die van de orang-oetan en die waren weer beduidend kleiner dan de uitrusting van de chimpansee. Dat die verschillen een betekenis hebben voor de productie van sperma, was in een eerder onderzoek al aangetoond. Chimpansees maken meer sperma aan dan gorilla's.

Aanvankelijk leek de verklaring eenvoudig: man-

netjeschimpansees doen het vaak en met alle vrouwtjes in de groep, dus hebben ze meer sperma nodig dan
gorilla's, die in kleinere groepen leven en dus minder
vaak copuleren.

Toch was dat niet de juiste conclusie.

Dat bleek uit een experiment dat onder korhoenders is uitgevoerd. Korhoenders komen voor de paring
op een speciale plek bij elkaar, de baltsplaats. Terwijl
de mannetjes paraderen, laten de vrouwtjes hun blik
langs de uitstalling glijden. Ze zijn op zoek naar de
mooiste, de beste. Daar hebben ze allemaal ongeveer
dezelfde ideeën over: ze willen een mannetje dat lekker in z'n veren zit en vlot doorstapt. Zieke mannetjes lopen een beetje moeizaam, dus die moeten ze
niet. Zo kan het gebeuren dat een bijzonder fraai mannetje dat een zwierige tred kan laten zien een hele rij
wachtenden heeft, die hij allemaal mag bevruchten.
Je zou denken dat korhoenders dus veel zaad moeten
kunnen leveren en daarom vergelijkenderwijs grote
testikels hebben. Dat is niet zo, ze hebben tamelijk
kleine. Dat komt doordat de vrouwtjes niet vreemdgaan. Ze paren maar één keer, met dat leuke mannetje en met niemand anders. Het mannetje kan dus met
weinig sperma toe. Ieder vrouwtje dat hij bedient,
krijgt een beetje, genoeg om de bevruchting te bewerkstelligen. Onder de korhoenders woedt geen spermaoorlog.

De verschillen in de productie van zaad hebben dus
niet te maken met het aantal vrouwtjes dat bevrucht
dient te worden maar met de promiscuïteit van de
vrouwtjes.

Gorillavrouwtjes zijn, net als korhoenders, tevreden

met één man. Dat is de leider van de groep. Een heel enkele keer is er nog een gorillamannetje dat mee mag doen, maar hij paart beduidend minder dan de leider.

Heel anders is het onder chimpansees.

Chimpanseevrouwtjes doen het met alle mannetjes in de groep en zelfs met vreemde. De leider houdt de bronstige vrouwtjes zo veel mogelijk in de gaten, maar af en toe let hij even niet op en dan beklimt een ander mannetje het gretige vrouwtje.

Voor de vrouwtjes is het gunstig met zo veel mogelijk mannetjes te paren, want zolang een mannetje zich kan verbeelden dat hij de vader zou kunnen zijn van het jong dat het gevolg is van de vrijpartij, is hij vriendelijk voor de zuigeling en bijt hij hem of haar niet dood.

Het inzicht dat vrouwen promiscue zijn is tamelijk nieuw. Volgens Darwin was het vrouwelijk geslacht juist niet geneigd tot overspel. Omdat er maar één eicel per bevruchting ingezet kan worden, zouden vrouwen kieskeurig zijn en wachten tot zich de beste kansen voordoen.

Mannen daarentegen hebben miljoenen spermatozoïden te vergeven. Onbekommerd kunnen zij hun zaad verspillen, sterker nog: hoe meer ejaculaties ze verrichten, des te meer kans op nakomelingen, genendragers uit eigen keuken.

De werkelijkheid is anders. Voor één zaadcel hoeft een man zich niet in te spannen, maar voor een heel ejaculaat, dat miljoenen spermatozoïden bevat, wel. Er bestaat een soort wormpjes waarvan sommige, door toedoen van een mutatie, minder sperma aanmaken. Die wormpjes leven langer.

Sperma aanmaken kost veel energie, dus beperkt de man zich zo veel mogelijk.

Chimpansees kunnen zich, omdat hun vrouwtjes vreemdgaan, niet veroorloven weinig zaad te leveren, dus hebben ze relatief grote testikels.

Mensen lijken erg op apen, vooral op mensapen en met name chimpansees. De samenhang tussen de maat van de testikels en de zaadproductie geldt dus ook voor de mens.

Mensenmannen hebben bescheiden testikels. Er is ook sprake van een matige spermaproductie. Meer dan zes ejaculaties op een dag kan een man niet leveren. Dan is de voorraad onverbiddelijk op. Als de hoeveelheid zaad samenhangt met de huwelijkstrouw van vrouwen, dan valt het nogal mee met ons. We zijn niet zo overspelig als chimpansees en niet zo trouw als een gorillavrouw.

Uit een Amerikaans onderzoek uit 1994 van het National Opinion Research Center in Chicago bleek dat 25 procent van de getrouwde mannen en 15 procent van de vrouwen wel eens iets buitenechtelijks had ondernomen. Een enquête die in 2006 onder *Libelle*-lezeressen werd gehouden wees uit dat 20 procent van de 5000 ondervraagden vreemd was gegaan. Of die cijfers betrouwbaar zijn, weet ik niet. Mensen die hun liefdesleven niet strikt monogaam hebben doorgebracht, liegen nogal eens over het antwoord. Sommige mannen vinden het leuk zichzelf als vrouwenversierders te etaleren. Vrouwen zien de enquêteur in het algemeen liever niet noteren dat ze geregeld aan het hoeren en snoeren zijn geweest.

De meeste vrouwen die ik ken, zijn tamelijk eenkennig in hun liefdesleven, maar nooit helemaal. Er is altijd wel die ene keer dat er toch iets is voorgevallen met een ander.

Ik ken een vrouw die bepaald preuts is. Ze vindt seks plezierig, maar ze is van nature ingetogen. Achtendertig jaar lang is ze trouw geweest aan een banketbakker die haar liefde niet waard was, maar ze had een huwelijksbelofte afgelegd en daar hield ze zich aan. Hij niet. Hij knoeide in het geniep met het personeel. Daar kwam zijn vrouw natuurlijk achter en dan beloofde hij beterschap, tot er weer een nieuw winkelmeisje in dienst kwam. Op een dag liep zijn vrouw weg. De kinderen waren allang het huis uit, haar zuster wist nog een leuke huurwoning in Apeldoorn, vlak bij haar om de hoek, en dat was het eind van het huwelijk. Sindsdien is deze vrouw vrijgezel en ik ben bang dat ze dat blijft. Ze kan niet flirten. Als ze een man leuk vindt, gaat ze hem juist uit de weg.

Ik dacht altijd dat zij werkelijk helemaal nooit iemand anders in haar armen had gehouden dan die ene flapdrol van een echtgenoot, maar onlangs vertelde ze mij dat ze één keer een seksuele ontmoeting heeft gehad met een andere man.

'Het was in de tijd dat Rob al een poosje het huis uit was!' bezwoer ze me, 'dus het was geen echt overspel.'

'Jammer,' antwoordde ik, want ik had haar van harte een liefdesleven naast haar huwelijksmisère gegund. Toch gaf het te denken. Als zelfs deze vrouw een andere man heeft gehad, denk ik dat niet één echtpaar het droog houdt. Dat is ook bijna niet mogelijk in deze tijd, want huwelijksverbintenissen die stand-houden duren lang.

Toen de mensen nog niet zo oud werden en de vrou-wen in groten getale in het kraambed het leven lie-ten, was het al heel wat als een huwelijk tien jaar duurde.

Tegenwoordig is veertig, vijftig en zelfs zestig jaar mogelijk.

Dat klinkt als een lange weg om te gaan, maar de meeste huwelijkspartners vinden alleen het midden-stuk moeilijk. Dat zijn de jaren waarin de kinderen hun puberteit uitleven, de ouders hard werken en ter-nauwernood aan zichzelf, dus laat staan aan de ander toekomen. Tegen de tijd dat de kinderen volwassen zijn en zich voortplanten, wordt het leven gemakke-lijker en het huwelijk zonniger. Vaders die er niets van terechtbrachten toen hun eigen kinderen klein waren, willen voor hun kleinkinderen nog wel eens toegewijde opa's worden.

Ik ken een paar mannen die in de bloei van hun le-ven en op het hoogtepunt van hun carrière geduchte vreemdgangers waren, maar zich bekeerden toen ze tegen de zestig liepen. Op hun werk konden ze niet langer op vooruitgang rekenen en zo heel veel sjans hadden ze ook niet meer. Ze waren bang om buiten-gesloten te worden van het familieleven en werden trouwe echtgenoten en lieve grootvaders.

Aan oudere vrouwen heeft de natuur een bijzon-dere levensvervulling gegeven. De overgang is geen treurig afscheid van de vruchtbaarheid, maar een evo-lutionaire aanpassing die bijzonder nuttig is.

Het doel van het leven is eten en vermijden gege-

·ten te worden voordat de voortplanting heeft plaats-gevonden. Dat kan een mens niet in zijn eentje. Daar-om leven wij in groepen. Voor een oudere vrouw is het niet nuttig zelf zo lang mogelijk kinderen te ba-ren. Afgezien van de kans op genetische defecten, we-gen het risico dat ze in het kraambed loopt en de kans op ondervoeding – doordat ze niet alleen voor de zui-geling maar ook voor de grotere kinderen moet zor-gen – niet op tegen het voordeel van gezinsuitbreiding. Die kan ze beter aan haar dochters overlaten, die im-mers ook haar genen dragen. Wanneer zij hen helpt bij de opvoeding, maken zij extra kans op overleving. De rol van grootmoeders is van onschatbare waarde.

Terwijl ik deze verklaring uitserveer, denk ik aan mijn eigen grootmoeder. Die was volstrekt niet van onschatbare waarde. Als moeder was ze al niet erg vriendelijk en voor de kleinkinderen had ze alleen be-langstelling voor zover ze deden wat ze hun opdroeg. Maar haar zuster, mijn oudtante, was enig! Zij is nooit getrouwd, want daar had ze geen tijd voor. Ze had min-naars. Daar voelde ze zich allerminst schuldig over.

'Ben je gek, kind!' zei ze, 'als je maar geniet.'

5. Het orgasme

Als kind wilde ik dierenarts worden. Dat was niets bijzonders. Alle meisjes van twaalf wilden dierenarts worden. Later, toen we merkten dat we geen aanleg voor wiskunde hadden en nooit door het vakkenpakket heen zouden komen, gaven we de droom op en besloten dan maar met een dierenarts te gaan trouwen. Een van de meisjes uit mijn klas heeft dat inderdaad gedaan.

Ik stond met haar te praten op een reünie van de brugklas.

Ze beschreef hoe haar leven was gegaan. Ze had een poosje Frans gestudeerd en ook een paar maanden kunstgeschiedenis. Op een studentenfeest kwam ze haar toekomstige echtgenoot tegen. Ze gingen samenwonen, van studeren kwam niet veel meer en na een jaar raakte ze zwanger. Ze was gelukkig. Haar dierenarts was een knappe man, bovendien was hij lief. Maar saai.

Dat laatste brak haar steeds meer op.

Toen ze het zei, bloosde ze even.

'Heb je een ander?' vroeg ik.

Het was zo. Er was een nieuwe man in haar leven gekomen, iemand uit de reclamewereld met wie ze in het geniep vrijde. Ze had hem leren kennen toen ze haar zoontje kwam ophalen van schoolreis. De reclameman had een dochter in dezelfde klas. Vanaf die dag haalde hij zijn kind steeds vaker op. Hij werd een graag geziene vader op het schoolplein en al gauw was hij zo vertrouwd dat het wel leek of ze hem haar hele leven had gekend. Hij was anders dan haar eigen man, zo sprankelend en origineel!

Ze was verliefd op hem geworden en dacht sindsdien nergens anders meer aan. De hartstocht straalde van haar af, het was voor iedereen te zien. De enige die het nog niet wist, was haar echtgenoot en ze vroeg zich af of ze het hem moest vertellen.

'Niet doen!' riep ik onmiddellijk.

Verliefdheden gaan nog wel eens vanzelf over, en waarom zou je een goed braaf huwelijk, met een dierenarts nog wel, opgeven voor een man die, als ik het goed begrepen had, vrijheid het hoogste goed vond en van de seksualiteit een religie had gemaakt. Na verloop van tijd ben je met zelfs de leukste minnaar wel zo'n beetje uitgevrijd en wat heb je dan? Een man die naar een nieuwe vrouw op zoek gaat om een onuitwisbare indruk op te maken.

Maar ik zag al aan haar gezicht dat ze niet van plan was terug te keren van haar heilloze weg en ze legde uit waarom.

Haar eigen man was tamelijk primitief in het liefdesleven. Bij hem, vertelde ze, had ze nog nooit een orgasme beleefd. De reclameman daarentegen had een orkaan van hartstocht in haar ontketend. Ze was op ontdekkingsreis in haar eigen lichaam en niets kon haar terugroepen naar de toendra van haar huwelijk.

Twee jaar na de reünie kwam ik haar toevallig tegen op het Waterlooplein in Amsterdam en vertelde ze hoe het haar was vergaan.

Ze had doorgezet, was van de dierenarts gescheiden, had een regeling voor de opvoeding van hun zoon afgesproken en was sindsdien bijzonder ongelukkig. Want toen de minnaar niet meer de triomfantelijke veroveraar van andermans goed was, maar de beheerder, kreeg hij het benauwd. Hij hield afstand en vrijde alleen nog met haar als hij niemand anders had weten te versieren. Zij stikte van de jaloezie.

Ik weet niet hoe de verhouding verder is verlopen, ik heb haar daarna nooit meer gesproken. Dat is jammer want ik zou haar willen vragen hoe ze achteraf denkt over haar keuze. Is goede seks de moeite van een scheiding waard?

Was ze beter af met een man die niks voorstelt in bed maar daarbuiten plezierig gezelschap is, of had ze gelijk en heb je niet geleefd als de seks nooit meer is geweest dan de verrichtingen van twee cavia's?

Ik ben een paar keer met mannen naar bed geweest die er werkelijk niets van terechtbrachten. Ze hadden niks geleerd of ze waren zo verwaarloosd dat ze de omwegen die de seks spannend en liefdevol maken oversloegen en meteen op hun eigen orgasme aan stormden.

Aan zo'n man heb je niet veel en misschien kun je

er maar beter niet mee trouwen. Maar er zijn andere overwegingen dan de seksualiteit alleen en misschien hopen de verloofdes van onhandige mannen dat het later beter zal gaan.

Dat gebeurt vervolgens niet, of na een korte bloei verdort het enthousiasme, en ik kan mij voorstellen dat je dan op zoek gaat naar een beter beleerd exemplaar.

Dat is geen onbekommerde expeditie.

Er zijn niet zoveel werkelijk bedreven minnaars en de vrouwelijke seksualiteit is nogal ingewikkeld. Tachtig procent van de vrouwen komt niet van de coïtus klaar en heeft meer nodig dan de geslachtsdaad om tot een orgasme te komen. Alleen subtiele prikkelingen van de clitoris brengen haar tot een hoogtepunt.

Waarom dat zo is, heb ik nooit begrepen. De natuur zit in zoveel opzichten doelmatig in elkaar. Wanneer een ontwerp niet voldoet, sterft het uit. Waarom is seksuele bevrediging voor vrouwen dan zo'n gedoe?

Een flink aantal mannen en een paar vrouwelijke onderzoekers hebben geprobeerd daar een antwoord op te geven.

Donald Symons en Stephen Jay Gould bijvoorbeeld menen dat het vrouwelijk orgasme eigenlijk niet in het oorspronkelijk ontwerp zit. Zij gaan ervan uit dat de clitoris een afgeleide is van de penis. Dat is niet verwonderlijk. De clitoris lijkt een beetje op een penis, zoveel zelfs dat verloskundigen zich bij de geboorte van een baby soms vergissen. Dan zien ze een kleine penis aan voor een grote clitoris of omgekeerd.

De penis bestaat uit erectiel weefsel, de clitoris ook. Beide veroorzaken een orgasme, de penis, volgens Gould en Symons, omdat de natuur dat nuttig heeft gevonden, als noodzakelijkheid om het zaad naar buiten te drijven, en de clitoris voor de gezelligheid, als toevallige bijkomstigheid. Een orgasme is voor een bevruchting niet vereist, tenslotte. Zij vergelijken het vermogen van vrouwen om klaar te komen met de mannelijke tepels.

In de eerste weken na de bevruchting is een embryo ongedifferentieerd. Er is dan nog geen sprake van een jongen of een meisje. De organen die later tot de geslachtskenmerken gaan horen, zien er nog hetzelfde uit. Voor vrouwen is het belangrijk dat ze tepels hebben. Onder invloed van vrouwelijke hormonen komen in de puberteit de borsten tot ontwikkeling en zwellen de tepelhoven en de tepels. Bij mannen blijven het onooglijke dopjes. Toch zijn er mannen die seksuele prikkels voelen in hun tepels en er zijn er zelfs die zo verhit raken bij de aanraking ervan dat ze weerloos tot een orgasme komen. Dat is dan mooi meegenomen, maar het staat niet in de blauwdruk. Het dient geen evolutionair doel.

Ik heb in het verleden soms met mannen gevrijd die stellig beweerden dat ze geen gevoel in hun tepels hadden, maar wanneer ik toch eens probeerde of er iemand thuis was, voelde ik een duidelijke reactie. Sommigen kwamen zelfs onmiddellijk klaar.

Volgens Symons en Gould is het vrouwelijk orgasme, net als gevoelige mannentepels, geen bedoelde aanpassing in de ontwikkeling van de mensheid. Het argument dat zij daarvoor aanvoeren is dat het te onbetrouwbaar is. De ene vrouw komt klaar, de andere niet of alleen maar soms, en dan nog in de meeste gevallen als ze masturbeert en juist niet tijdens de gemeenschap. Zo werkt dat niet in de natuur. Wanneer een verschijnsel optreedt, heeft het een functie, anders verdwijnt het.

Andere onderzoekers bestrijden die visie.

Robin Baker en Mark A. Bellis hebben verklaard dat het vrouwelijk orgasme wel degelijk een biologisch doel dient. Zij verbonden een microcamera aan een penis en zagen hoe de baarmoedermond de toegezonden spermatozoïden tijdens een orgasme met getuite lippen actief opslorpte.

Die theorie zou het antieke geloof van Galenus van tweeduizend jaar geleden bevestigen dat een vrouw alleen zwanger kan raken als zij heeft genoten van de daad. Talloze teleurgestelde moeders kunnen deze veronderstelling weerleggen.

Bovendien hebben mensen niets aan een gretige baarmoeder. Een baby is een grote investering voor een vrouw. Afgezien van de lange zwangerschap is de bevalling gevaarlijk. Baby's hebben een groot hoofd vol hersenen dat moeizaam door het geboortekanaal geperst moet worden. De fontanellen maken dat de schedel zich een beetje schikt onderweg naar buiten, maar de sterfte onder kraamvrouwen in landen waar geen toegang bestaat tot goede gezondheidszorg is nog steeds groot.

Als het kind al in goede staat ter wereld komt, moet het nog lange tijd worden gezoogd. Dat kan wel een jaar of drie in beslag nemen. Al die tijd is de moeder onder invloed van het hormoon dat de lactatie op gang houdt, sterk verminderd vruchtbaar. Het lijkt er dus op dat de natuur juist geen prijs stelt op al te snel opeenvolgend nageslacht. Dat is logisch, want een moeder heeft niets aan twee zuigelingen. Om voldoende calorieën aan één baby te bieden moet zij al eten als een wielrenner in training. Met twee of zelfs drie gaan niet alleen de kinderen dood aan ondervoeding maar de moeder erbij.

De slorpende baarmoeder is dus niet erg in lijn met de evolutie van de mens.

Baker en Bellis zijn trouwens de enige onderzoekers die gewag maken van het verschijnsel.

Grafenberg, de man van de onvindbare g-plek, en het beroemde echtpaar Masters en Johnson, dat in de jaren zestig uitvoerig onderzoek heeft verricht naar de seksualiteit, hebben geen enkele zuigende werking van de baarmoeder kunnen constateren.

Maar dat lag volgens weer een andere onderzoeker, die Irving Singer heet en aan de kant van Baker en Bellis staat, aan de onderzochte vrouwen. Die hadden een verkeerd orgasme. Er zijn drie soorten orgasme voor vrouwen, meent Singer: het vulvale, het baarmoederlijke orgasme en een mengvorm van die twee.

'Welja!' riep ik uit toen ik die indeling las, 'straks krijgen vrouwen weer te horen dat ze frigide zijn.'

Frigide. Het woord roept demonen op uit mijn tienertijd.

Toen ik met jongens begon te vrijen, had ik mij heel wat voorgesteld van de verrukkingen van de liefde. Mijn ouders hadden de voorlichtingsboeken op een bereikbare plaats in de boekenkast gezet, dus wist ik wat mij te wachten zou staan. De handelingen die in

Het Volkomen Huwelijk van dokter Van de Velde werden beschreven waren niet moeilijk uit te voeren en volgens hem zou de vrouw, als zij tenminste niet frigide was, spontaan klaarkomen van de bewegingen van de penis in de vagina en van het zaad dat tegen de baarmoedermond werd gespoten.

Aanvankelijk vrijde ik maar zo'n beetje voor de gezelligheid, op verkenning in het nieuwe gebied. Soms duwde een vriendje een vinger in mijn vagina, maar dat vond ik een afschuwelijk gevoel.

'Doe maar niet,' zei ik.

Later, toen ik daadwerkelijk met een jongen naar bed ging, was de seks niet veel plezieriger. Behalve een vage trots, dat ik het toch maar flikte op mijn zestiende, vond ik er niks aan.

Ik ben frigide, stelde ik bedroefd vast. Pas twee jaar later kwam ik achter de functie van de clitoris. Masters en Johnson hadden de uitkomst van een onderzoek gepubliceerd waarin onomstotelijk werd vastgesteld dat ieder vrouwelijk orgasme in de clitoris wordt opgewekt, ook wanneer een vrouw door de coïtus klaarkomt, en dat het aantal vrouwen dat uitsluitend door likken of strelen tot een orgasme komt ruimschoots in de meerderheid is. Dat was een grote geruststelling, maar in de praktijk had ik er niet veel aan.

Ik had inmiddels geleerd met veel moeite eigenhandig tot een hoogtepunt te komen, maar die kennis bleek niet gemakkelijk over te dragen op mijn liefdespartners. Jongens hadden domweg geen belangstelling voor mijn aanwijzingen. Later was er een vriendje dat wel iets probeerde, maar hij was te ruw en te onhandig. Het duurde nog ten minste tien jaar voor ik aardigheid aan de liefde beleefde. Maar toen was het kwaad al geschied en was ik vervuld van een diep gevoel van ontoereikendheid.

Als een man mij benaderde, scheelde het niets of ik had hem gewaarschuwd: begin er niet aan meneer, ik ben een doodlopende straat.

Ik heb soms behoedzaam gevraagd hoe het met andere vrouwen was gesteld. Steevast antwoordden de jongens dat hun vorige vriendin spontaan klaarkwam van de coïtus en de meisjes zeiden dat het de ene keer wel en de andere niet lukte. Niet één meisje zei dat ze er niets van terechtbracht.

Ik herinner mij dat een jonge vrouw mij verrast aankeek toen ik mijn vraag aan haar voorlegde.

'O nee, geen enkel probleem!' lachte zij, 'ik zou willen dat ik mijn orgasme een poosje kon uitstellen. Ik kom altijd vrijwel onmiddellijk klaar en lig mij dan de rest van de vrijpartij te ergeren omdat die jongens er zo lang over doen.'

Bij mijn weten deden jongens er nog geen drie minuten over, maar al hadden ze een halfuur liggen bonken dan zou mij dat geen millimeter dichter bij het genot hebben gebracht. Wanhopig vroeg ik mij af hoe dat nou toch kwam.

Zelfs mijn moeder, aan wie ik alles kon vragen, wist geen antwoord. Zij had er ook geen moeite mee. Als ze haar fantasieën de vrije loop liet, kwam ze onmiddellijk tot een orgasme, zei ze. Ze raadde mij aan hetzelfde te doen.

Het hielp niets. Fantasieën kunnen een orgasme dat in aantocht is bespoedigen, niet veroorzaken.

Het is maar de vraag of de natuur heil ziet in het vrouwelijk genot.

Marion Petrie en Fiona Hunter, wetenschappelijke medewerkers aan Oxford University, vroegen zich af of het genoegen van een orgasme een drijfveer zou kunnen zijn om te copuleren. Als dat zo was, stelden zij, dan zou daaruit volgen dat dieren die het meest frequent paarden, er de meeste lol in hadden en ook de meeste nakomelingen kregen. Dat bleek helemaal niet het geval. De frequentie bleek enorm te wisselen, zelfs binnen één soort. Vermoedelijk heeft vaak paren niets te maken met genot en alles met de behoefte van het mannetje aan seksuele alleenheerschappij. Hij wil tot iedere prijs voorkomen dat zijn geliefde de tijd krijgt om andere minnaars te ontvangen.

Als de belofte van een orgasme vrouwen inderdaad zou aanmoedigen vaak en gretig te copuleren, zou het vermoedelijk een sterkere positie hebben en zich niet zo gemakkelijk laten wegvagen door onnozele dingen als de plotseling invallende gedachte dat het kattenluikje niet openstaat of door een nachtelijke kinderstem die *mama* roept.

Er zijn onderzoekers die menen dat de natuur het voor een vrouw expres moeilijk heeft gemaakt om klaar te komen.

Desmond Morris veronderstelt dat het orgasme de beloning is die maakt dat een vrouw bij een man wil blijven die haar zover weet te brengen.

'Het moet juist moeilijk zijn!' roept ook Geoffrey Miller uit, 'als het een fluitje van een cent was, konden alle mannen het en maakte het niet uit met welke man een vrouw zou verkeren. Maar omdat het een vaardigheid is, die niet iedere kwibus is gegeven, kan een vrouw kiezen. Zo weet ze de echte mannen van de kleine jongens te onderscheiden.'

Miller vergelijkt het vrouwelijk orgasme met alle andere verworvenheden op grond waarvan mensen elkaar uitkiezen. Als iedereen even goed kon zingen, gitaar spelen, schaken of timmeren, als iedereen even goed was in sport, techniek of koken, dan maakte het niet uit met wie je samen nageslacht wilt verwekken. Iedere druiloor is goed genoeg, iedere muts een geschikte moeder.

Maar zo is het niet in de wereld van de evolutie.

Het mannetje biedt zijn genen aan en het vrouwtje maakt haar keus. Zij wil de allerbeste die zij krijgen kan en beoordeelt dat op grond van kenmerken die wijzen op goede genen: bij voorkeur een gezond lichaam en vooral een levendige geest. Alleen de beste, vaardigste mannetjes zijn goed genoeg.

In het boek van Geoffrey Miller worden voortdurend vrouwtjesdieren opgevoerd die met een kieskeurig bekje afwachten met wat voor fraaie kuif, felle kleuren en verlokkelijke vacht het mannetje zal komen aanzetten teneinde haar gunsten te winnen.

Dat zou ik ook wel willen, denk ik dan. Ik had maar wat graag rijen jongens achter mij aan gehad. Maar zo was het niet. Als je zestien bent of twintig en je hebt een gave huid en een goed figuur, word je omringd door meisjes die ook een goed figuur hebben en net zo'n rimpelloze huid en dan zijn ze ook nog blond. En lang. Ik was klein en donker en mijn moeder vond dat kort haar lekker vlot stond. Ik heb nooit mannen voor het uitkiezen gehad en ik heb ook nooit waargenomen dat ze iets van zichzelf probeerden te maken om bij mij in de smaak te vallen. Ik moest maar afwachten wat ervan kwam. Dat wilde nog wel eens tegenvallen. Soms lag dat aan mij.

De eerste paar keer dat ik met een man vrij, ben ik meestal zo zenuwachtig of verliefd dat ik helemaal niks seksueels voel, behalve de klemmende vraag of hij mij wel leuk vindt. Met de mannen zelf is het doorgaans niet veel beter gesteld. Die komen zo'n eerste keer vaak te snel klaar of ze weten bij god niet wat ze met een nieuwe vrouw moeten aanvangen. Hun vorige vriendin vond er niks meer aan, anders waren ze niet uit elkaar gegaan en van deze nieuwe heeft hij de gebruiksaanwijzing nog niet doorgenomen.

Ik heb de tijd nog meegemaakt toen mannen helemaal de moeite niet namen om er iets van te maken. In de vroege jaren zestig werden kinderen uitsluitend op de hoogte gebracht van het ontstaan van zwangerschap en misschien de preventie ervan. Seksuele technieken leerden ze niet. Maar met de seksuele revolutie bloeide de voorlichting op en werd omstandig uitgelegd hoe het vrouwelijk orgasme teweeg kon worden gebracht. Dat betekende nog niet dat iedere liefdespartner er belangstelling voor had. Mijn vader heeft eens verteld dat Engelse jongens elkaar vroeger bezwoeren vooral géén moeite te doen. Je moest de meisjes een beetje gretig houden, vonden de Engelsen. Ik weet niet of die opvatting gemeengoed was, maar de paar Engelse jongens met wie ik in zomervakanties heb gevrijd toen ik een tiener was, wilden maar één ding: erop, en vlug een beetje! Daar was ik nog niet aan toe, dus gebeurde er niets. Ze hadden geen idee wat er te doen viel als er geen coïtus plaats ging vinden.

In die tijd was het ook niet ongebruikelijk dat jongens stomverwonderd reageerden als ze hoorden dat vrouwen ook klaar konden komen. Voor zover hun kennis reikte was het orgasme voorbehouden aan mannen, en deden vrouwen en dieren het alleen voor de voortplanting.

Dat is overigens ook bij dieren niet het geval.

Bij bonobo's is de seksualiteit een manier om vrienden te maken. Vrouwelijke bonobo's geven blijk van grote vervoering wanneer ze vrijen. Bij hen is het dus wel degelijk ook omwille van het plezier dat ze klaar willen komen.

Er is ook verondersteld dat het vrouwelijk orgasme is geëvolueerd door de loomheid die erop volgt, die maakt dat een vrouw nog even blijft liggen na de daad. Daardoor hebben de zaadcellen meer kans de eicel te bereiken.

Maar daarmee is het uitblijven van een orgasme niet verklaard en ook niet al die orgasmen die vrouwen voorafgaand aan de copulatie krijgen, erna of zonder dat er een ander persoon aan te pas komt.

Ik blijf zelf trouwens alleen uit beleefdheid even liggen, niet uit seksuele loomheid. Ik dacht altijd dat die rusteloosheid een slechte eigenschap van mij was, maar Elisabeth A. Lloyd, die werkelijk alles wat er maar onderzocht is aan het vrouwelijk orgasme minutieus heeft doorgenomen en voor het overgrote deel naar de prullenbak heeft verwezen, stelt resoluut dat de seksuele loomheid deel uitmaakt van de manne-

lijke beleving en dat vrouwen na het orgasme doorgaans nog een poosje enthousiast blijven. Of ze die
energie omzetten in een nieuw orgasme, een geanimeerd gesprek of dat ze thee gaan zetten, hangt af van
de omstandigheden en van de liefdespartner. De evolutie heeft er geen invloed op uitgeoefend.

Elisabeth A. Lloyd is overigens het meest gepor-
teerd van de hypothese van Symons en Gould. Jammer genoeg maakt zij in haar boek *The Case of the
Female Orgasm, Bias in the Science of Evolution* geen
melding van de bevindingen van Komisaruk en Whipple. Ze noemt Whipple in haar bibliografie, maar ze
zegt niets over haar werk. Dat is spijtig, want ik had
graag willen weten wat zij ervan vond.

Barry Komisaruk en Beverly Whipple van Rutgers
University in New Jersey hebben onderzoek gedaan
naar de functie van het orgasme bij knaagdieren. Zij
vonden een stof die vrijkomt op het moment van het
orgasme. Het is een neuropeptide, dat wil zeggen een
hormoonachtige stof die inwerkt op het zenuwstelsel,
en ze noemden haar Vasoactive Intestinal Peptide. Als
deze stof rechtstreeks in het ruggenmerg wordt gespoten, ervaart de ontvanger ervan een orgasme. Dat is
natuurlijk plezierig, maar het opmerkelijke is dat Vasoactive Intestinal Peptide een grote pijnstillende werking heeft.

Komisaruk neemt aan dat het evolutionaire doel
van het vrouwelijk orgasme wel eens zou kunnen bestaan in die pijnstillende werking. Zo'n pretje is de
copulatie niet voor een groot aantal diersoorten. Katten hebben pijn wanneer de penis binnendringt en
voor vrouwelijke knaagdieren schijnt het ook een on-

aangename bezigheid te zijn. Het orgasme maakt dat de vrouwtjes de pijn ternauwernood voelen.

Het is een opmerkelijke theorie die alle aandacht verdient, maar ik werd afgeleid door een detail: ik had nog niet eerder gehoord van een knaagdierenorgasme!

'Waar komt zo'n vrouwtje in godsnaam van klaar?' vroeg ik mij af.

Komisaruk beschrijft de seks bij ratten. Acht keer brengt het mannetje zijn penis héél even in de vagina, stoot minder dan een seconde en bij de achtste keer komt hij klaar. Dat is het. De rattencoïtus wordt altijd en zonder uitzondering op die manier volbracht, anders kan er geen bevruchting plaatsvinden. Komisaruk haalde een rattenpaartje na de zesde ronde uit elkaar en plaatste een nieuw vrouwtje in de kooi. Het mannetje ging er nog twee keer tegenaan en ejaculeerde volgens protocol. Maar voor dit vrouwtje was er pas twee keer gecopuleerd, dus werd zij niet zwanger. Of ze er plezier aan beleefde, vertelt Komisaruk niet. Het is niet uit compassie met de vrouwen dat hij zijn onderzoek heeft verricht.

Mij liet de gedachte aan orgastische knaagdieren niet los.

'Rattenvrouwtjes,' mompelde ik afgunstig.

Geoffrey Miller mag dan beweren dat het juist goed is als een vrouw niet van iedere prutspartij klaarkomt, maar ik had liever bij de groep gehoord die er geen moeite voor hoeft te doen om aan haar gerief te komen. Afgezien van de fysieke voordelen ontloop je ook de gêne als een man tevergeefs aan je orgasme ligt te werken.

'Je moet het ook niet aan een man overlaten,' zei

een vriendin, 'ik ga niet afwachten tot hij erachter is hoe het moet. Ik kan het veel beter zelf.'

Ik maakte een vaag gebaar dat instemming kon betekenen. De waarheid is dat ik het zelf niet zo heel veel beter kan. Als ik alleen ben, gaat het wel, vooral als ik een vibrator bij de hand heb, maar soms gebeurt er dan evengoed niks. Maar met succes masturberen waar een geliefde bij is, kan ik niet. Ik ben dan even bevangen alsof ik op een dorpsplein een demonstratie moet geven.

'Jij moet je niet altijd zoveel aantrekken van wat een ander er van vindt,' raadde de vriendin aan, 'anders kom je nooit aan de leuke dingen van het leven toe.'

'Wat zijn de leuke dingen?' vroeg ik.

'Klaarkomen,' antwoordde ze resoluut, 'en vrouwen kunnen dat veel beter dan mannen, in ieder geval vaker.'

Dat laatste is zeker waar. Vrouwen zijn in staat tot meervoudige hoogtepunten.

Bovendien is het een veel beschreven feit dat vrouwen het beste, het langdurigst en het meest intens klaarkomen als ze zelf hun orgasme veroorzaken.

Er was een jaar of tien geleden een Amerikaanse vrouw, Betty Dodson, die driedaagse cursussen Masturbatie Voor Vrouwen gaf. Ik had over haar gelezen en schreef mij in. Misschien zou zij mij kunnen vertellen waarom de 20 procent van de spontaan klaarkomende vrouwen alomtegenwoordig was en ik de andere 80 procent nergens zag.

De workshop werd gegeven in een buurthuis, in een stille straat in Amsterdam. Twaalf vrouwen de-

den mee. Twee van hen kwamen nooit klaar en durf-
den dat ook niet, doordat ze in hun jeugd waren ge-
straft toen hun ouders hen betrapt hadden terwijl ze
hun lichaam verkenden. Andere deelneemsters zoch-
ten nieuwe wegen naar genot en er waren er ook die
gewoon nieuwsgierig waren.

Waarom we drie dagen over de lessen deden weet
ik niet. De stof was helemaal niet ingewikkeld. Het
orgasme, verklaarde Betty Dodson, zou moeiteloos tot
ons komen, als we gebruik maakten van de massage-
apparaten die zij had meegebracht. Het waren ferme
machines, met een dikke leren kop erop en een groot
vermogen.

Zelf hadden wij een komkommer meegebracht en
een handdoek.

Na de kennismaking waarbij iedereen vertelde hoe
het gesteld was met het persoonlijke orgasme, gingen
we een voor een wijdbeens voor de klas zitten om te
laten zien hoeveel variatie er bestaat in de kleur en de
vorm van de vulva. Daarna deden we een ademha-
lingsoefening en wensten elkaar nog een plezierige dag.
De volgende middag was gewijd aan het schillen van
de komkommer, nog wat ademhalingstechniek, tot de
vibrators ter hand werden genomen, vooralsnog alleen
voor de ontspanning. Pas op de derde dag gingen we
ertegenaan. De komkommers werden alleen ingezet
om weer eens wat anders te voelen, maar verder mas-
turbeerden wij erop los, tot de batterijen het begaven.

De boodschap van de cursus was dat een vrouw
mag genieten.

'Zo is dat!' knikte mijn vriendin, toen ik haar de
woorden van Betty Dodson overbracht.

We waren even stil.

'Weet je dat hamsters klaar kunnen komen?' zei ik.

'Dat meen je niet!' riep ze verbaasd.

'Jawel,' zei ik, 'en koeien kunnen het ook.'

Ik vertelde over de bevindingen van Komisaruk en Whipple en over het Vasoactive Intestinal Peptide.

'Ik kan me niet voorstellen dat een koe er pijn van heeft,' zei mijn vriendin, 'ze hebben ruimte zat.'

'De evolutie maakt geen uitzonderingen,' legde ik uit, 'het zijn allemaal systemen die miljoenen jaren oud zijn. Ze gelden voor alle zoogdieren of voor alle gewervelden en soms voor alles wat leeft. De natuur begint niet een heel nieuw systeem, de evolutie maakt alleen aftakkingen.'

'Daar hebben we dan geluk aan,' zei mijn vriendin vergenoegd, 'ik zou het echt jammer vinden als ik geen orgasme kon krijgen. Ik kom geweldig klaar!' voegde ze er met nadruk aan toe.

Ik dacht aan een onderzoek van Joseph Bohlen, een onderzoeker van de University of Minnesota Medical School. Hij vond een aantal proefpersonen bereid om metingen te laten verrichten, terwijl zij zichzelf tot een orgasme brachten. Bohlen mat de temperatuur, de hartslag, de omvang van de penis, bloeddruk, de long-inhoud en de spiercontracties voor, tijdens en na het hoogtepunt. Hij vroeg iedere proefpersoon een teken te geven wanneer het orgasme begon en wanneer het wegebde.

De uitkomst was verbijsterend: er bleek volstrekt geen correlatie te bestaan tussen de fysieke verande-ringen die tijdens het orgasme optraden en wat de proefpersonen erover zeiden. De samentrekkingen van de spieren vielen niet samen met de melding van een orgasme, de heftigheid van het hoogtepunt had niets te maken met de waarden van de metingen. Een derde van de vrouwen zei dat ze klaarkwam, maar daar was niets van te zien. Zouden die net gedaan hebben alsof? Vrouwen veinzen geregeld dat ze door een orgasme worden overmand. Daar zijn wij bijzonder bedreven in.

Volgens Randy Thornhill, een onderzoeker aan de Universiteit van New Mexico in Albuquerque, en Robin Baker, de man van het onderzoek naar het zaadzuigende vermogen van de baarmoedermond, heeft het geveinsde vrouwelijk orgasme te maken met de keuze van sperma. Als een vrouw denkt dat er later een verkieslijker mannetje zal komen om haar te bevruchten, kan zij doen of ze klaarkomt. Het mannetje met wie zij vrijt, merkt dat niet. Hij denkt dat hij heel wat voorstelt en inmiddels houdt zij haar baarmoedermond in toom. Het zijn wapens in de sperma-oorlog, zeggen Thornhill en Baker.

Dat klinkt enorm bijdehand, maar zo heb ik dat nooit beleefd terwijl ik mijn vertolking van seksuele extase lag uit te voeren. Ik deed of ik klaarkwam, om mijzelf en mijn bedgenoot te verlossen van de uitzichtloze taak mij een orgasme te bezorgen. Ik deed het omdat de man in kwestie geen benul had van de vrouwelijke anatomie en ik geen animo had om bijles te geven of omdat ik het zielig vond dat hij zo zijn best deed, met zo weinig resultaat voor al zijn moeite.

Andere vrouwen aan wie ik in de loop der jaren heb

gevraagd waarom zij hun orgasme veinsden, gaven een vergelijkbaar antwoord: laat ik maar net doen alsof, dan zijn we er allebei van af.

Dat heeft niets te maken met de voortplanting of de biologie. Het zijn strategieën die het dagelijks bestaan voortgang geven.

Niet alles in het leven wordt gedicteerd door Darwin.

6. Werving & selectie

Jaren geleden liep ik over de Amsterdamse Nieuw-markt, toen ik aan de andere kant van het plein een knappe man zag aankomen. Hij was niet erg lang, breedgebouwd, en liep met energieke stappen. Hij had donker krullend haar en – voor zover ik dat kon zien op die afstand – regelmatige gelaatstrekken.

'Wat een leuke man!' dacht ik, om het volgende ogenblik verrast vast te stellen dat het mijn eigen ver-loofde was die daar liep. Een ogenblik lang had ik zo gauw niet gezien dat hij het was.

'Ik viel daarnet even op je,' meldde ik toen hij na-derbij was gekomen.

'Grrmf' was het antwoord. Meer niet. We hadden al erg lang verkering en hij vond het niet altijd de moeite waard om antwoord te geven.

Ik denk dat ik hem daarom na twaalf jaar heb ver-laten voor een ander, niet omdat ik hem niet meer aantrekkelijk vond, niet omdat wij elkaar haatten. Ik denk dat onze liefde verzandde doordat er een wrevelige stemming tussen ons was gekomen. Ik was altijd teleurgesteld omdat hij niet lief tegen mij deed en hij behandelde mij in de regel kortaangebonden omdat hij vermoedde dat ik weer wat te zeuren zou hebben.

'Ben je echt om zo'n onnozele reden van die leuke man afgegaan?' vroeg een vrouw met wie ik herinneringen uit die tijd ophaalde, 'dat vind ik wel een beetje dom. Hij sloeg niet, zoop niet, ging niet vreemd en het was een snoepje om te zien. Hij was in ieder geval veel interessanter dan die Belg voor wie je hem hebt laten zitten.'

'Die Belg was tenminste lief.'

'Lief!' Ze maakte een geluid waar diepe minachting uit sprak.

'Wat heb je aan een lieve man? Een goede man is rijk, knap, geestig of interessant. Hij moet lekker zijn in bed en zijn auto zonder gehannes kunnen parkeren. Lief!'

Ze liet de fff nog even doorklinken.

Maar ze vergiste zich. David Buss, een vooraanstaande Amerikaanse geleerde op het gebied van de evolutiepsychologie, heeft in 1989 een wereldwijde studie gedaan naar de partnerkeuze. Aan 16 000 mensen die afkomstig waren uit 37 verschillende volkeren vroeg hij aan welke eisen een mogelijke geliefde zou moeten voldoen. Hij vergeleek de eigenschappen die de proefpersonen opnoemden, en kwam tot de slotsom dat de verlangens van de mensen in wezen niet erg verschilden, welke talen ze ook spraken, welke tradities ze ook volgden, of het nu mannen of vrouwen betrof. Er waren natuurlijk wel details waarin ze van mening verschilden. Mannen wilden een jonge energieke vrouw met vormen, vrouwen legden meer de nadruk op de bezittingen die een man had. Vervolgens vroeg de psycholoog naar de karaktereigenschappen van de ideale verloofde.

In alle culturen stond onbetwist op de eerste en tweede plaats, dat hij of zij lief en intelligent moest zijn. Niet geld, niet schoonheid of status deed er het allermeeste toe. Lief en slim, daar gaat het om.

Lief en slim zijn ook de twee menselijke eigenschappen waar Darwin zich over verbaasde. Waarom zijn wij zo bijdehand en waarom zijn wij zo aardig voor elkaar?

Wij zijn natuurlijk helemaal niet echt aardig. Als we als groep optreden, zijn wij in staat tot oorlogvoering en volkerenmoord, net als de chimpansees. Op individueel niveau beroven we elkaar, we verraden onze buren wanneer die frauderen met de belasting of met een uitkering, we schelden in het verkeer en we spreken kwaad van iedereen die even de kamer uit is. Maar als je de mens vergelijkt met andere mensapen, onze naaste familie dus, vallen we reuze mee. We bijten niet of zelden, we verkrachten elkaar in de regel niet, veel mensen vermoorden niemand en we helpen elkaar als er een ongeluk is gebeurd, zelfs als dat ongeluk ergens anders in de wereld heeft plaatsgevonden en we de narigheid alleen op de televisie hebben gezien.

Wat hebben we eraan?

De Amerikaanse psycholoog David Buss is ervan overtuigd dat dergelijke eigenschappen uitsluitend dienen om onze aantrekkelijkheid voor een eventuele liefdespartner te verhogen.

Kenmerken waar we op vallen hebben een betekenis voor de voortplanting. Natuurlijk is dat ook het uiterlijk. Iemand die er jong en gezond uitziet, is aantrekkelijk. Rare vormen, een lelijke huid, een kreupele tred, schonkige heupen, stakerige ledematen kunnen allemaal duiden op een ziekte, op zwakke genen. Die blieven we niet. Alle mensen in de hele wereld vallen op een ongeschonden gezicht, een symmetrische bouw, op een gladde huid, op welvingen op de juiste plaatsen. Dat is mooi, ongeacht de mode en met zo iemand willen we trouwen, ook al zeggen we dat het er niet toe doet.

'Een mooie man heb je nooit alleen!' zei een vriendin van vroeger geregeld. Zij was met een lelijke man getrouwd. Ik heb nooit begrepen waarom ze uit alle mogelijke mannen juist hem had gekozen en zij weet achteraf ook niet wat haar bezielde. Ze is inmiddels van hem gescheiden. Hij was, afgezien van zijn vlashaar, zijn miezerige gestalte en zijn dicht bij elkaar staande ogen ook nog eens een gluiperd van de hoogste orde. Ik heb haar wel eens gevraagd waarom ze met hem is getrouwd.

'Hij hield zo aan, ' antwoordde ze schaapachtig, 'en toen heb ik hem maar genomen.'

Volharding schijnt bij primaten ook een reden voor partnerkeus te zijn. Nieuwkomers in een groep apen zijn ook populair. Een mannetje dat veel werk van een vrouwtje maakt en zich welwillend gedraagt jegens de kinderen uit een eerdere verbintenis, maakt al gauw een kans. Als een nieuw lid toetreedt in een bestaande groep, is iedereen nieuwsgierig. Het is op dat moment erg belangrijk het juiste gedrag te vertonen. In sommige groepen moet een nieuweling vooral zijn mond houden en afwachten, in andere is het juist wenselijk dat hij vol zelfvertrouwen zijn plaats inneemt. Als hij in de smaak valt, komen belangstellenden naderbij om de kennismaking voort te zetten.

Wanneer een mannetje over begeerlijke eigenschappen beschikt, wordt hem een hoge positie in de rangorde verleend en dingen de vrouwtjes naar zijn gunst.

Dat geldt voor mensen al evenzeer als voor alle andere dieren.

Het nurkse snoepje was inderdaad een beeld van een man om te zien, maar het wonder was dat ik niet bang hoefde te zijn voor begerige blikken van andere vrouwen. Ze keken wel even, maar als ze hoorden dat hij een nederig beroep had en volstrekt geen geld of status, verdween hun belangstelling. Ze wilden geen in zichzelf gekeerde timmerman, ook al had hij zeegroene ogen. Hun voorkeur ging uit naar een vent met ambitie, die in een mooie auto reed. Daar had je meer aan voor de overleving.

Toch heb ik daar een zekere verandering in zien optreden.

Voor ik verliefd werd op mijn timmerman, had ik een stukadoor. Beide mannen hadden overigens met succes het gymnasium doorlopen. Ze waren dus volstrekt niet dom. Ze hadden alleen geen rechten gestudeerd, medicijnen of economie. De stukadoor had een paar weken op de faculteit biologie doorgebracht voor hij zich bekeerde tot de specie. De timmerman heeft drie weken Russisch gestudeerd voor hij besloot dat hout interessanter was dan naamvallen.

Het was 1973, net voor de tweede feministische golf zou oprijzen. Vrouwen wedijverden in die tijd nog met elkaar in huishoudelijke vaardigheden. Ze kochten pakjes voedselpoeder waarmee hun saus, de aardappelpuree of het toetje onmogelijk kon mislukken. Ze verheugden zich over hun stralend witte wasgoed dat aan de lijn hing te wapperen als het triomfantelijk vaandel van een winnend bataljon.

De eer die zij inlegden met hun bestaan was afhankelijk van hun huishoudelijke vaardigheden, van het moederschap en ook van de positie van hun man. Een vrouw met een hogere beroepsopleiding zou het in die tijd niet in haar hoofd halen verkering te zoeken met een bouwvakker. Ik stond dus in geen enkel aanzien, ook al omdat ik geen kinderen had en geen werk van betekenis. Ik was onbezoldigd psychotherapeut in een groepspraktijk van huisartsen.

Maar de wereld veranderde. Vrouwen werden zelfbewuster, ze wilden niet langer uitsluitend worden beschouwd als moeder, die thuisbleef voor de kinderen, of als een koekje met een gat erin, waar de mannen van smulden.

Steeds meer vrouwen gingen buitenshuis werken, ontleenden hun status aan hun eigen werk, en daarmee verdween de noodzaak een man uit te kiezen die rijker, machtiger en hoger geplaatst was. Ik ken inmiddels een vrouwelijke notaris die met een auto-uitdeuker is getrouwd, een advocate die van een fietsenmaker houdt, een vrouwelijke huisarts die een huisman heeft en een flink aantal mannen dat met trots vertelt hoe succesvol hun vrouw of vriendin is.

Mijn partnerkeuze wordt ook niet meer afgedaan

als een zwaktebod. Ik heb, behalve de stukadoor en de timmerman, nog een dichter, een astroloog en een iets te jonge Belg gehad. Tegenwoordig heb ik verkering met een tropenarts, wat op de artsenladder geldt als een mindere god. Hij heeft volgens de wet geen specialisme en dientengevolge een bescheiden inkomen. Dat ik geen rijke man heb, wordt tegenwoordig opgevat als teken dat ik mij kan veroorloven iemand in mijn hart te sluiten die ik lief vind, en niet om hogerop te komen. Misschien geldt Zahavi's Handicap Principle tegenwoordig ook voor vrouwen.

Toch zal een vrouw niet gauw een man kiezen van wie andere vrouwen niet begrijpen wat ze in hem ziet. Het gaat tegen de natuur in.

Een vrouw die zich voortplant met een minderwaardige man zou kinderen kunnen baren die op hun beurt onaantrekkelijk worden gevonden. Dat is niet goed voor de genetische voortzetting.

Een vrouw of een vrouwtje kan dus het beste een partner kiezen van wie andere vrouwtjes ook vinden dat hij de leukste is. Een populair mannetje stijgt zodoende nog eens extra in aanzien.

'Vrouwen letten op elkaar,' schrijft wetenschapsjournaliste Joann Ellison Rodgers, 'en dat doen ze niet alleen om uit te maken welke mannetjes de beste zijn, ze doen het ook om te kijken op welke vrouwelijke eigenschappen de mannetjes vallen. Voor zover het binnen hun mogelijkheden ligt, imiteren vrouwen die kwaliteiten. Zo ontstaat mode.'

Ik weet niet of er mannen aan te pas moeten komen om de hiërarchie onder vrouwen te bepalen. In iedere groep waarvan de deelnemers elkaar geregeld ontmoeten ontstaat een pikorde.

Ik rijd paard in een manege. Daar komen ook wel mannen, maar de meeste mensen die paardrijden zijn vrouwen. Goede amazones hebben in een manege een hogere status dan matige, ook al bezweert iedereen je dat paardrijden iets is dat je voor je eigen genoegen doet en niet om anderen te laten zien hoe je uitblinkt.

Wanneer een goede amazone een nieuw dekje koopt voor haar paard of een nieuwe rijbroek, zorgt zij dat die een iets andere kleur of een iets ander model heeft dan de gangbare dekjes of rijbroeken. Binnen een paar weken miegelt het in de manege van dergelijke nieuwe dekjes of rijbroeken.

Alexandra Basolo, biologe aan de Universiteit van Santa Barbara, heeft een experiment uitgevoerd met zoetwatervisjes uit Midden-Amerika. Dergelijke visjes bestaan in twee uitvoeringen: mannetjes met een korte staartvin en mannetjes met een zwaard. De vrouwtjes legden een duidelijke voorkeur aan de dag voor de zwaarddragende mannetjes. Basolo nam de zwaardloze mannetjes uit het water, bevestigde kleurige plastic zwaardjes aan de staartvin en zette ze terug in het water. De vrouwtjes waren verrukt!

Onderzoekers van de Universiteit van Texas hebben het experiment herhaald, ditmaal met kleurloze aanhangsels. Daar vonden de vrouwtjes niks aan. Het ging ze niet om de vorm, maar om de kleuren.

Er zijn wel meer van dergelijke proefnemingen gedaan. Met mannetjestorren bijvoorbeeld, bij wie een gewichtje op het schild werd gemonteerd voordat ze tot de copulatie overgingen. De vrouwtjes bleken een voorkeur te hebben voor het extra grammetje tor.

De drang om seksuele signalen uit te zenden is groot.

Toen de naveltruitjes in de mode kwamen, werden ze alleen gedragen door jonge meiden met een mooi figuur. Maar allengs konden minder fraaie meisjes niet achterblijven. Als je géén naveltruitje aantrok, was je iemand die er niet toe deed. Zo verschuift een norm. Ik zie nu af en toe ook vrouwen van ruim in de veertig met naveltruitjes. Ze laten weten dat ze in ieder geval niet van plan zijn een polyester bloemetjes-jurk met een vest aan te trekken. Ze doen nog mee.

'Van achter lyceum, van voren museum,' sneerde een vriendin, die in de leeftijdscategorie valt van mensen die nog weten wat een lyceum is. Zij draagt vormeloze ribfluwelen broeken die ze met een grote riem insnoert. Ik vind dat zij hartstikke leuk gekleed gaat, want ze is slank, maar mannen gruwen ervan. Voor hen draagt zij een luide boodschap uit: aan mijn lijf géén polonaise!

Het is waar dat je aan kleding kunt zien wie er in de verpakking zit.

Een vriendin van mij heeft sinds kort verkering met een man die een choker draagt, zo'n sjaaltje in plaats van een stropdas of niks.

Toen ik de man aan een gemeenschappelijke kennis wilde beschrijven hoefde ik alleen die choker te noemen.

'Hij is piloot,' voegde ik er nog aan toe.

'Natuurlijk!' knikte de kennis.

Er is niet één wasmachinemonteur die een choker draagt, niet één gymleraar.

'Jij altijd met je gemeenplaatsen!' hoor ik mijn kritische vrienden al mopperen, maar ik denk dat kleding voor mensen een visuele aanvulling is op geursignalen.

In de schedel van zoogdieren, op neushoogte, hangen vijf miljoen geurneuronen die bij iedere inademing registreren wat er te ruiken valt. Dat is het Vomeronasale Orgaan. Het is niet met zekerheid aangetoond dat mensen over een dergelijk orgaan beschikken maar er zijn wel sterke aanwijzingen dat het ook in ons actief is. Het Vomeronasale Orgaan staat in verbinding met het limbisch systeem, waar het geheugen zetelt en de emoties. Daarom roepen geuren herinneringen op en kunnen mensen blij of weemoedig worden wanneer ze een betekenisvolle geur waarnemen, ook al zijn ze zich daarvan niet bewust.

De geur van mannelijk okselzweet heeft invloed op de menstruatiecyclus van vrouwen. In Philadelphia, aan het Monell Centrum voor Scheikundige Gewaarwordingen, is een proef gedaan met vrouwen die gedurende drie maanden drie keer per week een vleugje alcohol met mannenzweet op hun bovenlip gesmeerd kregen. De vrouwen zelf roken alleen de alcohol, maar hun lichaam wist wel beter. Na verloop van tijd gingen ze opvallend regelmatig menstrueren, wat bevorderlijk is voor de vruchtbaarheid.

Er is ook een aantal jaren geleden een experiment gedaan in openbare damestoiletten. Op een aantal van de deuren van de wc's werd wat okselzweet van mannen aangebracht. Het bleek dat deze toiletten beduidend veelvuldiger werden bezocht dan de wc's waarvan de deur niet was behandeld.

Claus Wedekind, een Zwitserse zoöloog, heeft een proef genomen met vrouwen die hij T-shirts van bezwete mannen aanbood en vervolgens vroeg welke geur zij plezierig vonden. Uit de resultaten bleek dat de vrouwen een voorkeur aan de dag legden voor mannen die het meest van hen verschilden in *histocompatibiliteit*, de verwantschap in weefsel, die de afweer van het immuunsysteem bepaalt. Hoe groter dat verschil, hoe groter de kans dat het nageslacht zich teweer kan stellen tegen ziekteverwekkers.

Mensen hebben een groot deel van hun bewuste reukvermogen verloren, wij snuffelen niet aan elkaar bij de kennismaking. Wij kijken, en wat er te zien is, heeft voor ons net zo'n duidelijke betekenis als een geurvlag voor een dier.

Tieners zien aan details van de kleding uit welke sociale groep hun leeftijdgenoten komen. Ze weten naar welke muziek iemand luistert, op wat voor school de ander zit en of hij van skateboarden, hockey of voetbal houdt. In één oogopslag is duidelijk of een meisje populair is of dat ze voor haar sociale contacten is aangewezen op haar vriendin die hoger geplaatst is in de ogen van de leeftijdgenoten. Volwassenen hebben soms een mildere blik en de kledingvoorschriften zijn meestal minder rigide, maar voor hen kunnen automerken en andere verwijzingen naar de financiële omstandigheden bepalend zijn voor de bejegening.

Ook als iemand helemaal niet de bedoeling heeft zich te etaleren, zijn er kenmerken die verwijzen naar status en naar de groep waartoe hij behoort. Als ik op de Veluwe fiets, kan ik zien wie er belijdend christen is. De mannen hebben vaak een baard, soms een ringbaard zonder snor, de vrouwen dragen lange wijde rokken en een windjack. Hun haar is meestal kort en als ze het al lang dragen, steken ze het op in een streng knotje. Nooit in een slordige dot, zoals stadse vrouwen met hennarood haar.

In het buitenland herken ik de Nederlanders aan hun houterige bewegingen, de Amerikanen aan hun hagelwitte sportschoenen, de Franse vrouwen aan hun meedogenloze blik. Misschien vergis ik me zonder dat ik dat weet geregeld in de identiteit, en gaat er achter een choker een enkele keer een poelier schuil of een fietsenmaker en is de stoere kerel met wie ik stiekem even flirt een nicht als een kathedraal, maar onomstotelijk staat vast dat mensen naar tekens speuren, zoals dieren even aan elkaar ruiken bij een ontmoeting.

Vrouwen ruiken in het algemeen beter dan mannen en mannen schijnen gevoeliger te zijn voor visuele prikkels. De meeste mannen kunnen precies vertellen op welk type ze vallen: blond of donker, dik of dun, borsten of billen of allebei. Dat wil niet zeggen dat ze die ook krijgen.

'Man möchte so gern eine Grosse Lange haben,' schreef Tucholsky, 'und dann bekommt man eine Kleine Dicke. C'est la vie.'

7. Het begin

Lang voordat ik een clandestiene minnaar in mijn armen sloot, had ik plaats voor hem gemaakt in mijn leven. Had ik tevoren altijd mijn best gedaan relatieproblemen op te lossen en ruzies uit te praten, in de laatste twee jaar van de verkering liet ik de boel versloffen. Als mijn verloofde lelijk tegen mij deed, dacht ik *Klootzak* en ging een boek lezen. Of ik belde een vriendin op en vertelde haar tot in de details wat de klootzak nou weer voor onvergeeflijks had gedaan.

Op een dag ontmoette ik de man voor wie ik mijn verloofde zou verlaten. Hij was getrouwd. Naar genoegen, zei hij aanvankelijk, maar na een paar gesprekken bleek dat hij ook niet onbewolkt gelukkig was. Zijn vrouw vitte vaak op hem, vertelde hij. Niets deed hij naar haar zin.

'O!' riep ik verrast uit, 'zo is het bij ons ook!'

We wisselden ervaringen uit.

Bij mij thuis hingen de ergernis en de spanning inmiddels als een kille mist tussen ons in. Wij spraken

nog wel met elkaar maar alleen over bestuurlijke zaken, over wie de boodschappen zou halen, over visite
die we moesten uitnodigen.

Het duurde een poosje tot de minnaar en ik de erotische belofte verzilverden. Eerst gingen er verliefde
weken voorbij waarin wij elkaar vertelden hoe erg het
laatst weer was geweest.

Hij was een avond naar de bioscoop gegaan met zijn
vrouw. Het regende verschrikkelijk. Terwijl hij de auto parkeerde, wachtte zij op hem voor de ingang van
het theater.

'Waar bleef je zo lang!' mopperde zij toen hij er
doornat aan kwam hollen.

'Heb je al kaartjes?' vroeg hij, zonder antwoord te
geven op het verwijt.

'Nee,' zei ze kwaad, 'jij zou toch betalen?'

Er stond een lange rij voor de kassa en tegen de tijd
dat ze bijna aan de beurt waren, was de film uitver-
kocht.

'Over anderhalf uur draait hij weer,' zei hij, 'we
kunnen wat gaan drinken in een café.'

Maar van zijn vrouw hoefde het al niet meer en in
zwijgende vijandschap reden ze naar huis.

'Ik heb de babysitter een extra uur uitbetaald,' vertelde hij later aan mij, 'omdat ik het voor dat meisje
zo sneu vond als ze bijna niets kreeg, maar daar was
mijn vrouw ook weer kwaad om.'

Terwijl de dagen voorbijgingen en wij vrijwel iedere dag met elkaar belden, leken onze vaste relaties
steeds slechter te worden, zodat het niet meer dan
rechtvaardig was dat wij wegvluchtten uit het straf-
kamp.

Eindelijk waren wij bij elkaar en konden wij onze bestemming volgen: samen gelukkig worden.

Dat viel nog niet mee. Hij had twee jonge kinderen, zijn vrouw belde iedere dag huilend op dat ze het niet rooide zonder hem, zonder geld, zonder uitzicht op een nieuwe liefdesrelatie.

'Zonder geld?' riep mijn minnaar, 'zij heeft het huis, de kinderen, mijn auto omdat ze niet zonder auto kan, ik betaal nog steeds alle vaste lasten en ze heeft een báán! Waar heeft dat mens het over?'

Onze verontwaardiging dreef ons nog dichter naar elkaar toe, terwijl we verder gingen met verhalen vertellen over hoe slecht we ons al die jaren hadden laten behandelen.

Maar toen alles gezegd was en onze verliefdheid de weg van alle verliefdheden was ingeslagen, begon ik mij al spoedig te vervelen. Ik betrapte mij erop dat ik soms dezelfde dingen tegen hem wilde snauwen als zijn echtgenote vroeger had gedaan en achteraf begreep ik niet goed waarom ik de problemen met mijn eigen verloofde zo lang had laten opstapelen zonder er iets aan te doen.

Na anderhalf jaar voelde ik niets meer voor mijn minnaar. Hij was nog even bedreven in bed en nog net zo aanhankelijk als in het begin van onze romance, maar ik hoorde nog alleen hoe onnadenkend hij kon zijn, ik rilde van zijn burgerlijke opvattingen en eigenlijk was ik net zo gespitst op zijn tekortkomingen als tevoren op die van mijn verloofde. De deur naar de straat stond open. Hij kon gaan.

Dat deed hij. Omdat hij niet wist hoe het verder moest, ging hij terug naar zijn huwelijk, waar zijn kinderen hem verwelkomden en zijn vrouw hem, gewond maar getroost, opnieuw toeliet in het huwelijksbed.

De schade werd gerepareerd en na een halfjaar leek het of er nooit een breuk was geweest in de relatie. Ik beroemde mij er zelfs een beetje op dat het door mij kwam, door onze diepgaande gesprekken en analyses, dat het nu zo goed ging met het echtpaar.

'Hij laat zich niet meer als een vod behandelen, hij speelt niet meer de geslagen hond, de arme geplaagde man die met een harpij is getrouwd,' legde ik uit aan wie het maar wilde horen, 'als hij niet vreemd was gegaan, waren ze nu allebei doodongelukkig geweest. Dankzij het overspel voelen ze nu weer hartstocht en liefde voor elkaar.'

Na drie jaar braaf huisvaderschap ontmoette mijn voormalige minnaar een nieuwe vrouw. Zij was, net als ik destijds, aan het eind van een verkommerde relatie en op zoek naar de uitgang. Die was niet moeilijk te vinden.

Het gesprek ging over de kwetsuren die je zoal oploopt in een langdurig huwelijk, allebei waren ze teleurgesteld en de rest van de melodie klonk precies als het wijsje dat hij al eerder had gehoord: van mij.

'Ik ben getrouwd,' moet de man nog gezegd hebben en hij liet het bij een slippertje. Nou goed, drie slippertjes. Thuis voelde zijn echtgenote de kleine verandering. Ze kon die niet precies benoemen, maar ze raakte erdoor van slag. *Hij flikt me weer wat,* zal ze gedacht hebben en daar werd haar humeur niet beter op.

'Ze begint weer te mopperen en te klagen,' constateerde hij en schoof maar vast een eindje op in de richting van de lokkende armen in de verte.

'Je gaat vreemd!' weeklaagde zijn vrouw.

'Niet waar!' loog hij en hij nam zich voor nu toch werkelijk een eind te maken aan de affaire. Het voornemen strandde. Hoe had hij in godsnaam kunnen denken ooit opnieuw gelukkig te kunnen worden in zijn huwelijk? Zijn kinderen huilden mee met hun moeder, verweten hem dat hij mama verdriet deed, gehoorzaamden niet meer als hun vader hun iets opdroeg.

'Jij hebt niks over ons te vertellen, liegbeest,' zeiden ze. Steeds vaker ontvluchtte hij het koor van zijn ontevreden gezin en uiteindelijk belandde hij waar hij altijd al had willen zijn. In het paradijs van de nieuwe liefde.

Voor mij was het alsof ik het dagboek van zeven jaar geleden zat te lezen. Ik geneerde mij achteraf voor mijn egoïsme en voor mijn onnozelheid. Ik had mij verbeeld dat het lot ons samen had gebracht maar eigenlijk had ik die man domweg gestolen. Een lange relatie kan nooit op tegen een pasgeboren verliefdheid. Daarvoor zijn de hormonale golven te hoog.

Helen Fisher, de antropologe, heeft onderzoek verricht naar de chemie van de liefde. Zij maakte hersenscans van verliefde mensen om te zien of de doorbloeding, en dus de activiteit, in bepaalde gebieden van het brein gelijke tred hield met de gevoelens waarvan de verliefde harten gewag maakten.

Een paar plaatsen bleken bijzonder actief: de staartkern, waar plezierige gewaarwordingen worden herkend, en het gebied waar de hoofdbron voor dopamine producerende cellen zit.

Dopamine is een van de stoffen waarvan Helen Fisher kon vaststellen dat ze bepalend zijn voor de verliefdheid. Ook het gehalte noradrenaline steeg in de doorbloede hersengebieden. Dopamine en noradrenaline geven een onstuitbare energie, een grote extase en een niet aflatende zucht om het genot na te jagen. In dezelfde tijd dat Fisher verliefde mensen in de MRI-scan schoof, deden Italiaanse geleerden onderzoek naar zestig proefpersonen van wie er twintig verliefd waren, twintig aan een dwangneurose leden en twintig geen speciale kenmerken vertoonden. Zowel bij de dwangneurotici als bij de verliefden was er een aanmerkelijke daling van de serotoninespiegel. Serotonine zou wel eens verantwoordelijk kunnen zijn voor de obsessieve kant van de hartstocht.

Verliefde mensen melden zonder uitzondering dat ze aan niets anders meer kunnen denken dan aan het voorwerp van hun hartstocht.

'Verliefdheid,' zegt Fisher, 'is geen emotie, het is een drift. Emoties kun je min of meer beheersen. Je kunt je woede verbergen, je lach inhouden. Een drift laat zich niet intomen. Verliefdheid is een behoefte, een hunkering. Plato had gelijk toen hij meer dan tweeduizend jaar geleden schreef: "De god van de liefde leeft in staat van behoefte."'

Wanneer de verliefdheid eenmaal heeft toegeslagen, is het onmogelijk terug te keren naar een toestand van rust en evenwicht. Of, zoals een overspelige verliefde man het formuleerde: 'Die tandpasta krijgen we niet meer terug in de tube.'

Als je een gerieflijke liefdesrelatie hebt, is het dus niet verstandig de deur op een kier te zetten, want er komt beslist iets binnengeslopen waar die relatie niet tegen bestand is. Wat dat betreft lijkt vreemdgaan een beetje op heroïnegebruik. Vrijwel alle aanstaande verslaafden denken aanvankelijk dat zij het middel wel kunnen hanteren, dat ze alleen in het weekend zullen gebruiken, dat zij sterker zijn dan de verslavende stof.

Mensen die een beetje buiten de deur vrijen, doen dat meestal ook niet om hun huwelijk te verwoesten. Ze denken dat het geen kwaad kan, ze denken dat ze zichzelf alleen trakteren op een kleine beloning, als tegenwicht voor alles wat ze thuis over zich heen laten gaan.

'Een goed huwelijk kan niet kapot,' heb ik mijzelf geregeld horen beweren als ik mijzelf van schuld wilde vrijpleiten. Maar het is niet waar, alles kan kapot, een goed huwelijk net zo gemakkelijk als een slecht. Het probleem met een goede liefdesrelatie is dat de deelnemers zo vertrouwd met elkaar zijn dat ze geen moeite meer hoeven te doen om elkaar te veroveren. Ze gaan steeds meer als gezinsleden leven, als broer en zus. Dat is niet goed voor de seksuele betovering. In de genen van de mens zit verankerd dat hij zich niet aangetrokken voelt tot personen die tot de gezinsleden behoren. Er is in de jaren zeventig een onderzoek gedaan naar kibboetskinderen, die iedere dag samen in een groep doorbrachten, terwijl hun ouders werkten. Niet één van deze kinderen trouwde later met een voormalige groepsgenoot, tenzij hij of zij de groep voor het zesde levensjaar had verlaten. Dan kwam het een doodenkele keer voor.

Het is dus niet raadzaam voor huwelijkspartners

elkaar te veel te beschouwen als een gemakkelijke stoel die tot je beschikking staat om lekker in uit te buiken. Als je de seksuele spanning wilt bewaren, zul je het mysterie in stand moeten houden, zodat de ander scherp blijft.

Dat is een moeilijke opgave. Vooral wanneer het dagelijks leven bestaat uit een aaneenschakeling van taken die je maar ternauwernood kunt vervullen omdat er te weinig tijd is en je voortdurend bekaf bent van de vorige dag. Dan schiet er geen energie over voor de liefde. Morgen kan ook, denken echtgenoten al gauw, en anders overmorgen. En voor ze het weten is het drie jaar later en zijn ze beddendood.

Op reis, in de bar van een hotel, kwam ik een Amerikaans echtpaar tegen dat al bijna veertig jaar bij elkaar was. Ik dacht dat ze stokoud waren, maar ze waren nog niet eens zestig. De man was ongeveer dertig kilo te zwaar en klaagde over artritis, de vrouw was in de overgang.

'Zij wil nooit meer,' vertelde de man toen zijn vrouw even naar de wc was gegaan, 'dat komt door de overgang. Dat respecteer ik vanzelfsprekend, want ik wil haar niet dwingen. Maar het is wel eens moeilijk.'

Hij zweeg even, terwijl hij een blik in de richting van de toiletten wierp.

'De overgang, daar doe je niks aan,' zei hij mismoedig.

'Flauwekul,' antwoordde ik, 'er zijn wel vrouwen die futloos worden van de hormonale verschuiving of zich ellendig voelen maar dat heeft niks met seks te maken. Daar wordt ze niet futlozer of ellendiger van.'

'Ze klaagt dat ze droog is,' zei de man, 'vanbinnen.'

'Dan doe je er een beetje spuug op,' zei ik, 'straks is het zo lang geleden, dat je niet eens meer weet waarom je het nooit meer deed. Tegen die tijd is zij helemaal verschrompeld en jij voelt je honderd en ziet eruit als een walrus.'

'Verschrompeld?' vroeg hij geschrokken.

Ik dacht aan een vrouwelijke gynaecoloog die ik eens heb gesproken. Zij vertelde dat ze soms oudere vrouwen zag die nog een vagina als van een jonge meid hadden. Die vrijen volop en dat was goed voor de doorbloeding. Of het omgekeerde ook geldt, wist ik eigenlijk niet, maar ik knikte heftig.

'Nou en of!' beweerde ik met klem, 'als ze nooit klaarkomt, wordt ze steeds droger en kreukeliger. Misschien moeten jullie langzaam aan weer op gang komen. En doe vooral de dingen die zij leuk vindt, masseer d'r voeten of zo. Dan heb je weer een begin.'

Hij keek me schattend aan.

'Jij bent een leuke vrouw,' zei hij.

'Maar ik heb al een man,' riep ik gauw en legde om hem te troosten even mijn hand op zijn arm. Hij greep hem onmiddellijk vast en drukte er een kus op.

Zo gemakkelijk is het om een buitenechtelijke verhouding te beginnen.

Ik kon mij trouwens wel voorstellen dat de echtgenote er de brui aan had gegeven. Die man zag er niet uit, terwijl zij eigenlijk nog heel goed oogde. Maar hij was aardig en ik wist bijna zeker dat zij niet in de gaten had dat ze de voorwaarden voor overspel aan het scheppen was. Want ik had dan wel nee gezegd, maar hoeveel vrouwen zijn er niet die zo'n aardige lobbes maar al te graag willen overnemen?

Zijn vrouw ging ervan uit dat hun geschiedenis een sterk genoeg fundament was om een periode van seksuele verwaarlozing te kunnen doorstaan. Maar seksualiteit is een grote drift. Iedereen kan wel een poosje zonder en het schijnt zelfs zo te zijn dat de aandrang vermindert als je nooit met iemand vrijt. Maar onder die gelaten aanvaarding broeit een beest dat maar een kleine aanmoediging nodig heeft om te ontwaken. En dan is er geen houden meer aan.

'Hou toch eens op met dat gezeur over seks,' kreunde een vriendin die het zo langzamerhand zat wordt dat ik telkens wijs op de noodzaak van het lichamelijk onderhoud. 'We zijn toch geen konijnen?'

Zij heeft haar man jaren geleden de deur uit gedaan en leeft sindsdien zielstevreden met een computer waar ze internationale bridgepartijen op speelt en een douchekop die ze af en toe als vibrator gebruikt. Seks met een man is voor haar iets van vroeger. 'Ik hoef geen vent,' zegt ze resoluut en dan trekt ze het gezicht van een fijnproever die een frikadel aangeboden krijgt.

Sommige vrouwen tonen zich niet alleen onverschillig over de bloei van hun liefdesleven, ze gebruiken de seksualiteit als betaalmiddel. Wanneer een man iets voor hen doet, aandacht geeft, een achterstallig karweitje opknapt, iets liefs zegt of een cadeautje meebrengt, lonken ze naar hem en laten weten dat ze bereid zijn om met hem te vrijen. Maar als hij zich niet gedraagt volgens hun droomprotocol, gaan ze als vergelding niet met hem naar bed. Pikstraf heet het en het is de kortste weg naar een slechte relatie.

Een vrouw die een man als vaste liefdespartner heeft, kan er doorgaans op rekenen dat hij altijd tot haar beschikking staat. Er zijn wel mannen die geen animo hebben voor seks, maar de meeste vinden het enig en zelfs als ze aanvankelijk niet zo heel veel zin hadden, maken ze wel zin als de vrouw een beetje aandringt.

Omgekeerd is het wat minder. Vrouwen die weten dat er geen schaarste is – van wie de man bij de geringste aanmoediging een ferme erectie komt aanbieden – willen nog wel eens denken: *ik doe net of ik het niet zie.* Het vrouwelijk orgasme kost meer inspanning dan dat van een man. Zij moet in de stemming komen. Voor een man is die stemming er eigenlijk altijd wel min of meer.

Zolang ze allebei een zekere gemoedelijkheid aan de dag leggen, maakt dat verschil niet veel uit. Een vrouw kan er ook halfhartig aan beginnen en allengs plezier krijgen in de bezigheden. Een man hoeft zich niet afgewezen te voelen wanneer zijn geliefde eerst haar boek wil uitlezen of misschien eens een dag overslaat.

Maar wanneer de pikstraf post vat in de verhouding, is het niet langer een onbeduidend verschil in lustbeleving, maar een uitwisseling van schuld en wraak.

'Het begon met kleine ergernissen,' vertelde een vrouw, die haar huwelijk op het nippertje heeft weten te redden, 'wij werken allebei en als wij geen scherpe afspraken maken over wie de kinderen haalt en brengt, hoe laat wij thuis zijn en wie de boodschappen doet, loopt het huishouden in het honderd. Willem is wat ongeorganiseerder dan ik, dus komt het meestal op mij neer om een soort rooster te maken. Dan vraag ik hem bijvoorbeeld om langs de crèche te rijden en doe ik de boodschappen, haal onze oudste op uit de naschoolse

opvang en dan is er nog net tijd voor mij om een half-
uurtje hard te lopen voor het etenstijd is. Maar dat kan
dus alleen als hij inmiddels thuis is gekomen en alvast
in de keuken is begonnen. Soms komt hij te laat op de
crèche of blijft hij met de dames kletsen, want daar komen natuurlijk allemaal leuke jonge moeders die hem
geweldig vinden omdat hij zo'n goeie vader is. Als hij
dan 's avonds tegen mij aan kwam liggen, dacht ik:
Lul! en had ik geen zin om met hem te vrijen.'

Elke dag was er wel iets en op den duur werd hij
ook narrig.

'*Jij hebt nooit meer zin!* verweet hij en dan zei ik:
Ja, vind je het gek!'

Doordat hij het toch nooit goed kon doen in haar
ogen, werd haar man onverschillig.

Als zij tegen hem tekeerging, wist hij al dat het er
's avonds niet van zou komen en deed hij geen moeite. Op den duur hoefde het van hem eigenlijk ook niet
meer. Hij had genoeg aan zijn werk, zijn racefiets en
wat de vrouwen betreft: op de crèche had hij een schat
van een jonge moeder ontmoet. Af en toe zocht hij
haar tussen de middag op of net voor ze samen de ben-
gels gingen ophalen. Zij was alleen met haar zoontje
van zes, nadat ze was gescheiden van een gevoelloze
rotzak, die liever met zijn vrienden ging biljarten dan
dat hij aandacht besteedde aan zijn kleine jongen, die
net *roos* en *vis* had leren schrijven.

Haar ex was een heel ander type dan deze Willem,
die haar versteld deed staan, zo lief als hij was.

De echtgenote vertelde het verhaal schuldbewust:
'En ik waardeerde hem juist helemaal niet meer, ik
ergerde me alleen. Pas toen hij me vertelde dat hij die

affaire had en dat hij eigenlijk wilde scheiden, besefte ik hoeveel ik van hem hield.'

Ze zijn in relatietherapie gegaan, Willem beloofde dat hij hun huwelijk nog één kans zou geven en zij nam zich voor om hem niet langer te behandelen als een onwillige dienstmeid, maar als haar eigen droomprins. Ze probeerde de hartstocht in bed opnieuw aan te wakkeren door zelf te beginnen met de seks, door hem te kussen alsof ze hem voor het eerst in haar armen hield. Het hielp nog ook.

'Ik weet niet of het daardoor kwam,' zegt Willem achteraf weifelend, 'het is natuurlijk wel leuk, maar het had vooral met de kinderen te maken. Ik moest er toch niet aan denken dat ik almaar leuk zou moeten doen met het zoontje van mijn vriendin terwijl ik dan een soort weekendvader voor mijn eigen kinderen zou zijn.'

Hoe dan ook, ze zijn nog bij elkaar.

Ik heb nooit pikstraf uitgedeeld. Ik beschouw seksualiteit niet als een kapitaal waarvan ik de beheerder ben en de man de consument. Dat ligt niet aan mijn goede inborst, maar aan de positie die ik doorgaans in de liefdesverhouding inneem. Ik ben nooit een bloedmooie meid geweest die de mannen maar voor het uitkiezen had. Ik was altijd een beetje dankbaar dat ze mij hebben wilden. Dan kijk je wel uit om hoog spel te spelen. Maar wanneer ik mij teleurgesteld voelde, nam ik ook wraak.

Ik weigerde niet te vrijen, ik deed het juist wel, alleen niet met mijn eigen verloofde. Ik ging vreemd.

Als ik terugblik op mijn escapades, zie ik een zekere wetmatigheid.

Ik kan achteraf van iedere relatie zeggen welke gebeurtenis voorafging aan het overspel. Er was een belediging die ik niet kon verkroppen of een omstandigheid waardoor de innigheid van onze verstandhouding werd beschadigd.

Ik heb lang geleden een verloofde gehad die niet van seks hield. Hij vrijde maar zelden met mij en dan nog bij voorkeur 's nachts, als ik half sliep. Nu er zoveel jaren zijn verstreken, begrijp ik dat het uit angst was en seksuele zenuwachtigheid, maar in die tijd voelde ik mij gekwetst. Op een ochtend kwam ik onverwacht thuis terwijl hij nog in bed lag. Ik stak mijn hoofd om de deur en zag aan de schrikbeweging van zijn hand dat hij net aan het masturberen was.

Een paar weken later ging ik voor het eerst vreemd.

Een andere verloofde heb ik betaald gezet dat hij mij altijd korzelig toesprak en nooit om mijn grapjes lachte en van weer een andere herinner ik mij dat ik naar andere mannen begon te kijken omdat ik vond dat hij zich te veel aan de commando's van zijn voormalige echtgenote gelegen liet liggen. Zij bepaalde wanneer wij met vakantie konden en welke weekends hij beschikbaar moest zijn. Op een dag verordonneerde ze dat wij met de kinderen moesten kamperen. Toen ik daartegen protesteerde, zuchtte hij vermoeid en zei: 'Begin jij nu ook al! Ik krijg wat van al die lastige wijven.'

Dat had hij niet moeten zeggen.

Ik denk dat vrouwen zelden zomaar uit nieuwsgierigheid of zonder duidelijke aanleiding een avontuurtje beginnen. Voor zover ik weet is er meestal een reden voor en maar al te vaak is het revanche.

Mannen hoeven geen omschreven motief te hebben om vreemd te gaan. Die kunnen zichzelf zomaar in het bed van een ander aantreffen omdat ze in de verleiding kwamen. Op dat moment beseffen ze misschien niet eens dat het tegen de afspraak is. Dan zijn ze hun eedje van trouw even vergeten.

'Het betekent niks,' zeggen ze en dat menen ze. Achteraf kunnen ze zich amper herinneren wat er nou zo geil aan was. Bovendien is het gevoel na de daad weg en willen ze met alle plezier weer een brave echtgenoot worden, een trouwe verloofde, tot het volgende plezierritje in zicht komt.

'Gaat het altijd zo?' vroeg een vriend, die voor zover ik weet nooit vreemdgaat, ongelovig, 'zijn mannen en vrouwen zo precies in te delen?'

Ik maakte een hulpeloos gebaar.

'Weet ik veel!' zei ik, 'ik heb een hokjesgeest, dus maak ik hokken. Die zitten niet dicht, je kunt er zó uit. Maar dat doet vrijwel niemand. Volgens mij is het slecht gesteld met de vrije wil van de mensen en worden wij beheerst door onze aandriften.'

Ik dacht aan woelmuizen.

Er bestaan twee soorten woelmuizen die precies op elkaar lijken, weidemuizen en woelmuizen van het open veld. Ze zien er hetzelfde uit, hun genetische patroon is vrijwel identiek, maar in één opzicht verschillen ze als dag en nacht: weidemuizen zijn vreemdgangers, terwijl de andere soort eeuwig trouw is.

Dat vond Sue Carter, die baanbrekend onderzoek heeft gedaan naar de werking van de neurotransmitters oxytocine en vasopressine, nogal opmerkelijk en zij heeft uitgezocht waar dat verschil aan ligt. Ze vergeleek het genoom van de beide soorten en vond een gen dat codeert voor gevoeligheid voor vasopressine, een stof die na de seks wordt afgescheiden. In de hersenen zitten receptoren die de vasospressine in ontvangst nemen en vertalen in een gevoel van geluk. Een woelmuis van het open veld heeft na de seks een voldaan gevoel.

'Wat een goede vrouw heb ik getroffen!' denkt hij, en taalt niet naar een ander.

Bij de weidemuis gaat dat heel anders. Die denkt na de paring: 'Dat was lekker!' en gaat op zoek naar de volgende liefdespartner. Uit het onderzoek bleek dat hij heel weinig receptoren voor vasopressine heeft.

Door genetische manipulatie heeft de onderzoekster het gen van de woelmuizen van het open veld weten over te brengen op weidemuizen, die zich onmiddellijk bekeerden tot de huwelijkstrouw.

Daar stond ik wel van te kijken.

Ik dacht wel dat de geneigdheid tot overspel tot op zekere hoogte een diepgewortelde eigenschap is, maar dat zij in de genen verankerd ligt, had ik nooit kunnen denken.

'Telkens wanneer de woelmuis van het open veld de geslachtsdaad verricht, voelt hij zich inniger verbonden met zijn partner,' schrijft Sue Carter. Of vrouwelijke woelmuizen precies hetzelfde genetische patroon volgen als de mannetjes werd niet in het artikel vermeld en ook niet of de menselijke promiscuïteit aan de hand van dit onderzoek te verklaren is.

Dat is altijd de moeilijkheid met de vergelijking van mensen met andere zoogdieren.

Ik heb eens een symposium bijgewoond van medische onderzoekers. De een na de ander nam het woord en vertelde welke baanbrekende ontdekkingen er waren gedaan. Ze golden alleen nog niet voor mensen.

Toen ik in de pauze mijn teleurstelling daarover liet blijken, zei een van de artsen, terwijl hij peinzend in zijn koffie roerde: 'Ja, voor mensen kunnen wij meestal niet veel betekenen. Maar als u een muis was, zouden wij van alles voor u kunnen doen.'

8. De gevolgen

Nog geen drie weken ging ik vreemd of het bedrog kwam uit.

'Heb je iemand anders?' vroeg mijn verloofde.

Hij hoefde het antwoord niet af te wachten, mijn schuldige gezicht had mij verraden. Om wie het ging en wanneer het overspel was begonnen hoefde ik ook al niet te vertellen. Hij had het vermoed.

Ik was mijn clandestiene minnaar op reis tegengekomen. Ik woonde een congres over geslachtsziekten bij in München en hij was een van de sprekers. Het was de bedoeling dat ik luisterde en aantekeningen maakte, maar in plaats daarvan luisterde ik naar de muziek van zijn stem, niet naar zijn woorden. Hij stotterde een beetje. Daar ben ik weerloos tegen. Ik liet mijn ogen langs zijn gestalte glijden. Hij was niet bijzonder mooi en hij zat in een donkergrijze verpakking, maar hij had een hartveroverende glimlach.

In de pauze sprak ik hem aan met een of andere

overbodige vraag en de rest ging vanzelf. In het buitenland telt het niet, vond ik.

Toen ik thuiskwam had ik een schaapachtige glimlach om mijn mond, die niet van wijken wist, en ik zat veel te sms'en. Daardoor wist mijn officiële verloofde dat ik op het slechte pad was. Verliefd is net platjes. Je ziet de jeuk.

'Je moet ook niet verliefd worden!' verweet een collega die op het gebied van overspel deskundig is, 'als je je hart verliest, ziet iedereen dat.'

Zij heeft al heel lang een ander, naast haar wettige echtgenoot.

Ze is op huwelijkse voorwaarden getrouwd. In het algemeen wijst die term op afspraken over geld, maar voor haar betekende het ook een emotionele begrenzing.

'Een man hoeft niet alles te weten,' vindt zij, 'als je een zekere afstand bewaart, weet de ander nooit precies waar je mee bezig bent. Bovendien kan het de meeste mannen niks schelen wat een vrouw doet. Ze gaan ervan uit dat zij zich bezighoudt met vrouwenzaken zoals de overgang en de moeilijkheden van vriendinnen.'

Ik heb meestal andere verloofdes gehad, mannen die het leuk vonden om te weten waar ik mee bezig was, die luisterden wanneer ik iets vertelde. Zo iemand schuif je niet zomaar opzij.

'Als je vreemdgaat, moet je dat van harte doen,' raadde de collega aan, 'je moet je geen zorgen maken over de moraal of over de gevolgen. Dan kun je gewoon je gang gaan.'

Haar minnaar is ook getrouwd, ze maken met zijn

vieren deel uit van een bridgeclubje. Het is verbijsterend dat niemand ooit iets in de gaten heeft gehad van de geheime omgang.

'Zijn vrouw weet het natuurlijk best,' verklaarde zij stellig, 'zij doet net of ze niets merkt, maar volgens mij houdt zij zich onnozel. Anders moet ze scheiden en herrie schoppen en het komt haar niet eens zo slecht uit dat ik besta, want ze houdt niet van seks.'

'Hoe weet jij dat?' vroeg ik.

'Dat heeft hij me verteld.'

Ik schoot in de lach.

'Wat denk jij nou? Dat hij tegen jou gaat zeggen dat zijn vrouw de sterren doet verbleken met het vuur van haar liefdesspel?'

'Zij zegt het zelf ook,' hield mijn collega koppig vol, 'ze zei: "Ik vind er niks aan. Ik doe het alleen af en toe om het lijntje binnen te halen als de vis te ver wegzwemt."'

De vis is haar man.

'Ze moest eens weten in welk vijvertje hij spartelt,' zei ik. Ik voelde geen medelijden met de echtgenote. Dat was ten dele omdat ik haar niet ken, maar ook omdat ik denk dat mijn collega gelijk heeft. Als zij werkelijk zou willen weten wat haar man allemaal doet in zijn vrije tijd, is het niet moeilijk te achterhalen. Ik denk dat het haar inderdaad geen lor kan schelen, net als de man van deze collega. Ze schijnen vooral belangstelling te hebben voor bridge.

Seymour Feshbach en Robert D. Singer, twee Amerikaanse psychologen, hebben onderzoek gedaan naar de manier waarop mensen elkaar waarnemen. Zij brachten proefpersonen in een bepaalde stemming en lieten ze vervolgens foto's zien van gezichten. Wanneer de proefpersonen bang waren gemaakt, zagen ze angstige gezichten. Als de onderzoekers woede in hen hadden opgewekt, beoordeelden ze de gezichten op de foto als boos. Geliefden die langzaamaan hun animo voor de seks hebben verloren, denken dat de ander ook niet meer zo'n zin heeft.

Heel anders was het toen ik het verhaal hoorde van een vrouw die erachter kwam dat haar man al heel lang vreemd ging, terwijl zij dacht dat hun huwelijk hartstikke leuk was. Ze hadden twee kinderen, geen grote ruzies en een doodnormaal seksleven, waar ze allebei plezier in hadden, voor zover zij wist.

'Ik vond het zo erg,' huilde ze, 'niet alleen dat hij iemand anders had, maar dat het al zo lang aan de gang was. Allerlei gebeurtenissen die we samen hadden meegemaakt schoten door mijn hoofd, feestjes waar we samen waren geweest, vakanties die we hadden doorgebracht. *Zou hij iedere dag naar haar gebeld hebben of sms'jes gestuurd?* vroeg ik me af. Ik stelde me voor dat hij tegen haar zei dat het wel meeviel, de vakantie met mij en de kinderen. Dat hij haar miste. Ik voelde me zo vernederd! Toen ik hem vroeg wie het allemaal wisten gaf hij een ontwijkend antwoord. Dat was het ergste moment. Ik begreep dat een aantal vrienden op de hoogte was. Die hadden mij niks laten merken! Dat snap ik wel, ze wilden niet tegen mij klikken. Herman is óók hun vriend. Maar evengoed schaamde ik me kapot. In hun ogen was ik al die tijd een zielig vrouwtje van wie de man het met een ander hield, een sufmuts die niks in de gaten had! Ik wilde niemand meer zien. Herman zei tegen iedereen dat ik overspannen was, hij deed net of het niks met hem te maken had. Ik heb hem zo verschrikkelijk gehaat!'

Limerence heette die gevoelstoestand in de jaren zeventig. Het is een term die door de Amerikaanse psychologe Dorothy Tennov was bedacht om de obsessie met een geliefde weer te geven. In de positieve betekenis betekende limerence de verliefdheid die maakt dat je de hele dag aan de ander denkt en alles van hem of haar verheerlijkt. Maar wanneer de liefde omslaat in haat was limerence het woord om een bezeten woede en teleurstelling, die al net zoveel beslag leggen op het gevoelsleven, aan te duiden.

'Waarom heb je je vrienden en kennissen niet verteld waarom je zo overstuur was?' vroeg ik aan de vrouw.

Ze schudde heftig haar hoofd.

'Ik geneerde me dood. Voor geen prijs wilde ik met wie dan ook praten. Ik heb me helemaal afgesloten en me alleen op de kinderen gericht en op mijn werk.'

'En Herman?'

'Die beloofde van alles: dat hij het uit zou maken, dat hij van mij hield, dat hij me voor geen goud wilde verliezen, dat het niets met ons huwelijk te maken had, dat het sterker was dan hij, gewoon de bekende praatjes. Ik zei dat ik wilde scheiden.'

'Maar je bent niet gescheiden.'

'Uiteindelijk niet. Hij is een poosje uit huis gegaan, naar haar. Maar hij miste de kinderen en toen hij met haar samenwoonde vond hij haar ineens lang niet meer zo leuk. Ik heb hem teruggenomen, maar het is nooit meer geworden wat het was. Ik vertrouw hem niet.'

'Dat vind ik onzin,' zei ik, 'die man is zich waarschijnlijk dood geschrokken en is voorlopig handtam. Straks is het nog zo dat jij hem nu met argusogen zit te beloeren, terwijl je hem toen er wel wat aan de hand was volkomen vertrouwde. Bovendien word je doodmoe en ongelukkig als je voortdurend oplet. Je merkt het vanzelf als er iets misgaat.'

Ik vroeg mij af of ik het zelf in de gaten zou hebben als mijn verloofde vreemdging. Ik denk van niet. Maar wij hebben de afspraak dat hij het uit zichzelf vertelt of er in ieder geval niet over zal liegen als hij eens vreemdgaat en ik het raad.

Het is een keer gebeurd.

'Heb je haar gezoend?' vroeg ik vriendelijk. Ik formuleerde het expres zo, zoenen is niet bedreigend.

'Ja,' bekende hij.

'Een beetje zoenen en friemelen,' vulde ik aan, 'en toen maar meteen met haar naar bed geweest omdat je toch al halverwege was.'

Hij keek me onderzoekend aan. Was er ontploffingsgevaar? Maar ik vond het niet zo erg. De vrouw in kwestie is eenzaam, niet uit op een trofee, en eigenlijk gunde ik haar de lol wel.

'Geeft niet hoor,' zei ik edelmoedig en vanaf dat moment was het overspel niet langer een pleziertje dat hij zich had toegeëigend maar een cadeautje dat ik weggaf. Ik voelde mij net Sinterklaas.

Ik was ook niet verontrust, want ik ben tamelijk zeker van mijn plaats in het leven van deze verloofde. Die neemt een ander niet zomaar in.

Er is nogal wat oefening aan te pas gekomen om tot die staat van zelfbewustzijn te komen. Ik kon vroeger nooit geloven dat iemand van mij kon houden.

Het ontbreekt vrouwen wel vaker aan zelfvertrouwen. Daarom willen ze graag iedere dag een paar keer horen dat ze onverminderd aantrekkelijk zijn en dat hun geliefde nog evenveel van hen houdt als gisteren.

Daar krijgen geliefden op den duur genoeg van.

'Ik hou van je en als het niet meer zo is, bel ik je wel,' heb ik een man eens horen snauwen. Zijn vrouw dreef hem tot wanhoop met haar hunkering naar bevestiging.

Ik denk dat het niet nodig is almaar bang te zijn dat een man vreemd wil. Zolang het thuis gezellig is en niet doodsaai of een emotionele ijskelder, gaan de meesten niet actief op zoek naar afwisseling. Er bestaan natuurlijk wel onverbeterlijke vreemdgangers, maar juist die komen na gedane zaken weer naar huis. De gemiddelde verloofde is blij met het relationele onderdak en gaat pas vreemd als er voortdurend narigheid is, ruzie, verwijten en seksuele afwijzing of als de dagen zich aaneenrijgen als identieke kralen.

'Mijn vrouw is zo saai,' vertelde een aardige doodgewone man, 'ik vind haar lief hoor, maar als ze mij iets vertelt, kan ik maar heel even luisteren. Meestal gaat het over de kinderen. Die zijn allang het huis uit en het gaat goed met ze. Wat moeten we daar nou over bespreken?'

Hij gaat af en toe naar een club, waar hij zich door Anja, Monique of Elly laat verwennen. Hij schaamt zich wel een beetje voor dat uitstapje, want een ander woord voor club is bordeel en Anja, Monique en Elly zijn geen gezelschapsdames. Maar hij vindt het opwindend dat hij het durft en verder dan dat gaat zijn overspel niet.

'Hij belazert die vrouw gewoon,' vindt een collega-psychologe aan wie ik het verhaal vertelde zonder namen te noemen. Zij kent hem niet, dus dat mocht.

'Nee, hij houdt een deel van zijn leven waar zij niets aan kan toevoegen voor zichzelf,' corrigeerde ik.

'Dat geeft geen pas,' vond zij, 'je bent met elkaar getrouwd en dat moet toch ten minste betekenen dat je je seksuele leven met elkaar deelt.'

Ik zou niet weten waarom.

Ik heb, toen ik nog praktiserend psycholoog was, veel te maken gehad met travestieten en transseksuelen. Ik heb maar zelden meegemaakt dat een huwelijk er lekker van opknapte wanneer het hoge woord eruit was gekomen. Getrouwde homoseksuelen zullen dat beamen.

Het seksuele leven deel je voor zover dat in harmonie kan. Vrijwel iedereen heeft fantasieën waar hij de ander niet van op de hoogte brengt, en terecht.

Mijn collega-psychologe is van mening dat het huwelijk een verbintenis is waar je een heilig ontzag voor moet hebben. Zij vindt samenwonen daarom ook half werk, om van een lat-relatie maar te zwijgen.

'Als je je relatie niet serieus neemt, kun je er net zo goed niet aan beginnen. Het is een diepgaand verbond dat je met een ander aangaat. Daar horen bepaalde spelregels bij en één daarvan is dat je elkaar trouw bent.'

Dit klinkt wel erg protocollig, maar ik moet erbij vertellen dat zij Amerikaanse is. Amerikanen beginnen iedere dag met een eed van trouw aan hun vlag, dus zien ze niet op tegen een belofte meer of minder. Ik denk altijd aan alles wat er mis zou kunnen gaan en zweer maar liever niks. Als je heel principieel bent, is er maar weinig plaats voor lankmoedigheid, een eigenschap die nog wel eens van pas komt in een langdurige relatie.

Ik ken een vrouw die haar echtgenoot het huis uit heeft gedreven door hem bij iedere mogelijke gelegenheid om de oren te slaan met een faux pas die hij in het begin van hun huwelijk heeft gemaakt. Hij is uroloog en ging naar New York voor een symposium over de prostaat. Gewoonlijk vergezelde zij hem op zijn reizen, maar ze was hoogzwanger van hun oudste zoon en mocht niet vliegen.

Symposia zijn broeinesten van overspel. De uroloog was werkelijk niks van plan, maar het was een poosje geleden dat hij in de armen van zijn vrouw tot zijn gerief was gekomen. Zij had in de laatste periode van haar zwangerschap geen zin in seks. Daar had hij alle begrip voor, en hij had nooit aangedrongen en zich beperkt tot de zelfbediening. Op het symposium ontmoette hij een collega die hij in jaren niet had gezien. Ze dronken samen een borrel, haalden herinneringen op en bij het derde glas vertelde zij dat ze altijd enorm tegen hem had opgekeken.

'Echt waar?' vroeg de uroloog verwonderd, want dat had hij nooit beseft. En ineens viel er iets in te halen. Toen hij thuiskwam had zijn vrouw zijn koffer uitgepakt en daarin een aantekening tussen de papieren gevonden waar Mariëtte op stond.

'Wie is Mariëtte?' had ze gegild.

'Een meisje van vroeger,' antwoordde hij stom. Had

hij nou maar *een collega* gezegd, *een arts* of *een uro-loge*. Dan had zijn vrouw aan urinewegen gedacht en niet aan het slechte pad. Maar juist dat woord *'meis-je'* ontketende een orkaan van woede en jaloezie.

De man was te beduusd om te ontkennen. Hij bezwoer haar dat er niets ingrijpends was gebeurd, dat hij niet eens haar telefoonnummer had of haar e-mailadres.

'Het was een incident,' pruilde hij.

En hij had gelijk, hij is helemaal geen schuinsmarcheerder. Maar zijn vrouw hield hem vanaf die dag in de gaten alsof zijn broek ieder onbewaakt moment open kon springen en hij hijgend van hormonale hitte achter een prooi aan zou gaan.

'Gek werd ik ervan,' zegt de man achteraf, 'ik heb het omwille van de kinderen nog een jaar of tien met haar uitgehouden, maar ze deed vreselijke dingen. Ze keek alles na, ze rommelde in mijn bureau, ze belde naar het ziekenhuis, ze kwam onverwacht langs of ze ging zogenaamd onopgemerkt een poosje in de hal zitten wachten, tussen de patiënten. Dat deed ze om te zien of er misschien een aantrekkelijke jonge vrouw tussen zat met wie ik iets kon beginnen. Ik ben verdorie uroloog! Ik zie voornamelijk oude mannen met prostaatproblemen.'

Het heeft niet veel zin jaloezie te bestrijden met redelijke argumenten. Die slaan niet aan.

Grote emoties laten zich zelden beteugelen. Daarvoor dienen ze zich te heftig aan. Het is alsof je een boek probeert te lezen terwijl je zeeziek bent.

Bovendien had hij geen slechter moment uit kunnen kiezen voor zijn escapade.

'Hoe kun je dat nou zeggen?' vroeg hij verbaasd, 'er zat een oceaan tussen die gebeurtenis en mijn huwelijk.'

'Je vrouw was hoogzwanger, idioot!' schold ik, 'zij ging jullie zoon baren en jij lag met Marietje van vroeger te krikken.'

'Mariëtte,' verbeterde hij.

'Precies, en het kon niet klassieker, dus platter: een symposium, een meisje van vroeger en dan ook nog terwijl je vrouw op alledag loopt.'

Ik trok een moreel verontwaardigd gezicht en dacht aan het Formule 1 Hotel waar ik tien jaar geleden in bed lag met mijn minnaar. Het was de dag dat zijn vrouw beviel van een gezonde zoon. Die zwangerschap was niet echt de bedoeling geweest, mijn minnaar hield naar zijn zeggen al jaren niet meer van zijn vrouw.

Inmiddels weet ik dat de periode van zwangerschap van de echtgenote heel vaak het moment is dat mannen vreemdgaan. Meestal wachten ze tot na de vijfde maand, maar mijn minnaar lag al direct na de conceptie op de toonbank, klaar om meegenomen te worden. Hij had het thuis niet zo leuk.

Trouwens, zij ging zelf ook wel eens vreemd, voerde hij ter verdediging aan. Er was iemand op haar werk die aan een bureau tegenover haar zat en probeerde onder haar rok te kijken. Toen ze dat merkte, ging ze er speciaal voor zitten en allengs groeide het geile spelletje uit tot een hele ceremonie, die zich iedere dag herhaalde.

'Ik dacht dat zij geen zin meer in seks had,' zei mijn minnaar, 'terwijl zij al die tijd met die collega knoeide.'

Ik vond het toen meer dan genoeg reden om mij verder geen zorgen te maken over de rechtmatigheid van onze romance. Het kwam mij op dat moment niet zo goed uit om er een moraal op na te houden.

Ik was in die tijd ook van mening dat echtparen zelf op hun huwelijk moesten passen en dat een vrijgezel dat niet voor hen hoefde te doen.

Dat vind ik nog steeds, maar dat neemt niet weg dat je als huwelijksbreker wel degelijk deel uitmaakt van hun verbintenis. Zelfs als je een man niet steelt, maar iets te snel na afloop van zijn vorige relatie in je armen sluit, wil het nog wel eens op een fiasco uitlopen, doordat hij nog niet klaar is met de afwerking van de emotionele boekhouding van de voorafgaande jaren.

Ik heb met sommige verloofdes eindeloze gesprekken gevoerd over de tekortkomingen van mijn voorgangsters. Ik koesterde mij in de zekerheid dat ik heel anders was en kon niet genoeg krijgen van de vergelijking.

'Zij kneep me altijd gemeen als ik lag te snurken,' zei mijn nieuwe liefde bijvoorbeeld.

'Wat erg!' riep ik dan, 'weet je dat jij 's nachts onmiddellijk stil bent als ik je even streel?'

'Zij schopte me ook als ik te dichtbij kwam liggen. Ik wil nog wel eens naar een vrouw toe schuiven.'

'Ik weet het,' glimlachte ik vertederd, 'dan sta ik op en stap aan de andere kant weer in bed.'

'O ik dacht al, ze lag gisteravond toch aan de andere kant?'

Zo legden we het mijnenveld aan, waarin ik alleen de weg kende. Op geen voorwaarde wilde ik op Haar lijken, dus beheerste ik mij wanneer ik ook een grote aanvechting kreeg dat snurkende beest naast mij eens geducht te knijpen of te schoppen. Ik was voortdurend op goed gedrag gespitst en was als de dood om fouten te maken.

Jaren later, toen ik een nieuwe verloofde ontmoette waar niet de vellen van de vorige relatie nog aan hingen, voelde ik mij veel vrijer. Als ik zin had om een snauwtje te snauwen deed ik dat gewoon en tot mijn verbazing had dat volstrekt geen rampzalige gevolgen. Hij lachte erom. Hij droeg geen geschiedenis met zich mee die ik samen met hem moest herschrijven. Ik was niet de Andere vrouw en dat ontsloeg mij van de taak een Betere vrouw te zijn. Ik hoefde geen schuld te vereffenen.

Toen ik de timmerman pas had ontmoet, zaten we hand in hand in een café in elkaars ogen te turen, toen een oude kennis van hem binnenkwam.

'Goedenavond samen!' groette hij.

Mijn geliefde stelde ons aan elkaar voor en ik stak hem enthousiast de hand toe. Die nam hij aan alsof ik hem een gebruikte zakdoek aanbood.

Hij kwam bij ons zitten en begon een geanimeerd gesprek voor jongens onder elkaar, waar veel namen uit hun vriendenkring in voorkwamen. Mij negeerde hij. Mijn nieuwe verloofde probeerde nog wel of hij mij bij de conversatie kon betrekken, maar de muur van onwelwillendheid die de man had opgetrokken bleek ondoordringbaar. Na een kwartier stapte hij op.

'We zullen over een jaar nog wel eens zien of het wat voorstelt,' zei hij misprijzend bij het afscheid. Hij vond mij een indringer, ook al was mijn nieuwe liefde al een poosje gescheiden.

'Met jou had hij geen kinderen,' rechtvaardigde de man zijn onvriendelijke gedrag toen ik hem jaren later aan de ontmoeting herinnerde, 'en ik heb hem nu eenmaal leren kennen toen hij nog met zijn vrouw was.'

Zijn vrouw.

Het probleem met een nieuwe liefde is dat die moet wortelen in oude grond. Er zijn familieleden die de namen van de vorige verbintenis hebben uitgesproken alsof het om één naam ging: Hansenmarja, Wimmeningrid, Jannenria. En ineens is daar Chantal. Ze is achtentwintig en past niet bij de andere zwagers en schoonzussen. Ze misstaat bij de vrienden die sinds jaar en dag op de huisfeestjes verschijnen. Ze is te mooi, te jong en de oude kennissen vinden haar dom. Of juist een wijsneus. De mannen worden onrustig van haar, de vrouwen scherp.

Maar ook als de nieuwe wel in de smaak valt, is die ongemakkelijkheid er.

Want voordat de nieuwe ster aan de hemel verscheen, was hij of zij een verborgen liefde. Misschien was er al sprake van een stiekeme romance terwijl de vorige relatie nog niet verbroken was, in ieder geval niet definitief. Alleen wanneer er een langdurig vrijgezellendom aan voorafging, wordt de nieuwe verloofde blij en zelfs opgelucht ontvangen. Eindelijk is het zover!

Ik heb het zelf goed kunnen merken toen ik door mijn huidige verloofde aan zijn vrienden werd gepresenteerd. Ze verwelkomden mij zonder terughoudendheid. Ik kreeg een stapel fotoboeken op schoot en werd bijgepraat over alles wat vroeger was voorgevallen. Ik werd op de hoogte gebracht van de tradities, de vakanties, de anekdotes en de geschiedenis. Binnen een paar maanden leek het net of ik er altijd was geweest. Dat had ik nog niet eerder meegemaakt.

De legitieme liefde heeft grote voordelen.

9. De patronen

'Gaan wij samen oud worden?' vroeg mijn verloofde.

Ik trok een bedenkelijk gezicht. Ik heb niet zo'n goede staat van dienst als het om verkering gaat. Ik wil nog wel eens weglopen wanneer de problemen, die een langdurige romance nu eenmaal meebrengt, zich opstapelen.

Als ik terugkijk op mijn liefdesgeschiedenissen, zie ik een patroon. Het eerste jaar maken de dienstdoende verloofde en ik veel ruzie. Het is net of we samen in een nest zitten dat iets te krap is en we allebei proberen zo veel mogelijk ruimte in beslag te nemen. Na verloop van tijd schikken we een beetje in en wordt het warempel gezellig. Maar na een jaar of drie begint mijn enthousiasme te tanen. Ik moet me beheersen om niet telkens wanneer de goeie man iets doet dat zijn natuur hem ingeeft een korzelige opmerking te maken. Dat is het begin van het einde en het duurt niet lang of ik zoek de uitgang.

Een beetje jammer is dat wel. Gouden bruiloften

zijn een sieraad voor de maatschappij. Mensen die samen oud geworden zijn, kunnen rekenen op vertedering en bewondering.

Mij zal dat allemaal niet ten deel vallen, want mijn langste liefdesrelatie duurde twaalf jaar. Toch kijk ik terug op mooie romances. Ik zie sommige exen nog geregeld en van twee van hen houd ik nog altijd zielsveel.

Het telt alleen niet. Toen ik verleden jaar trots verklaarde dat het op 13 april vijfentwintig jaar geleden was dat ik de timmerman tegenkwam, keken de mensen mij onbewogen aan. Ze vonden het geen kunst om de liefde van weleer in stand te houden. Daar word ik wel eens boos om. Waarom is er zoveel meer bijval te behalen met de moeizame mars die echtparen uitlopen?

'Ik ben omwille van de kinderen bij hem gebleven,' vertelde een vrouw die terug kan kijken op veertig jaar verwaarlozing. Haar man is nu dood, maar voor zover ik weet heeft ze tijdens zijn leven ook nooit serieus overwogen te gaan scheiden. Er waren te veel nadelen.

Ze hield al na een jaar of drie niet meer van hem, gaf ze achteraf toe. Maar als ze hem had verlaten, zou haar leven evengoed niet gelukkig zijn geworden. Ze had geen beroep waar ze op kon terugvallen, het huis stond op de naam van zijn firma en de kinderen zouden er niets van begrepen hebben als ze hen had meegenomen naar een armzalig flatje in een buitenwijk. Zij wisten niets van de talloze keren dat hun vader vreemd was geweest.

'Zogenaamd op zakenreis,' smaalde de vrouw.

Er waren secretaresses, prostituees, vrouwen die hij uit advertenties in de krant had en ten slotte vrien-

dinnen via internet. Hij was knap om te zien, goed gekleed en zwierig, met net dat zweempje hulpeloosheid
waar vrouwen weerloos tegen zijn. Wanneer hij toe-
nadering zocht, had hij meestal succes. Tegen de tijd
dat zo'n vriendin erachter kwam dat hij getrouwd was
en niet van plan te scheiden, raakte de verkering uit
en ging de man opnieuw op jacht.

Van sommige verhoudingen was de echtgenote op
de hoogte. Ze werd soms gebeld door een minnares.

'Als u maar weet dat uw man u bedriegt!'

De verbolgen toon die het meisje aansloeg verbaasde haar. Alsof het háár schuld was dat haar man
zijn handen niet kon thuishouden.

Ze had toen ze jong was zelf ook scènes gemaakt.
Dan huilde ze of zweeg dagenlang, wanneer ze weer
eens een telefoonnummer in zijn zak had gevonden
of een condoom. Maar haar man trok zich niets aan
van haar tranen.

'Je moet niet zo zeuren,' zei hij, 'het stelt niks voor.'

'Als het niks voorstelt, waarom doe je het dan!'
raasde ze, maar ze wist het antwoord. Hij kon het niet
laten.

'Ben je zelf nooit met een ander naar bed geweest?'
heb ik haar eens gevraagd. En inderdaad had ze twee
keer geprobeerd haar man zijn escapades betaald te
zetten door ook vreemd te gaan. Maar het was geen
succes.

'Ik vond er niets aan. Het leek precies op hoe het
met mijn eigen man was en eigenlijk was ik ook niet
verliefd op die andere mannen.'

'Op je eigen man dan wel?' vroeg ik.

'Nee, op den duur niet meer. Maar in het begin wel.

En ik kende hem al zo lang. Ik wist precies wat ik aan hem had en misschien was het ook wel gemakzucht dat ik bleef. Ik had veel vrijheid, want hij was niet vaak thuis en als hij er was, vroeg hij nergens naar. Ik had mijn eigen bezigheden. Ik had de kinderen, ik hielp veel op school en in de bibliotheek en ik deed allerlei cursussen. Dat vond ik leuk. En dan had ik ook nog de tuin. Zo'n grote tuin zou ik nooit hebben als ik van hem was weggegaan.'

Gewenning en verveling, een verlammend brouwsel waardoor de jaren ongemerkt vergleden, tot de dood hen zou verlossen.

Ik moet er niet aan denken dat mijn leven zo zou gaan, maar misschien verbeeld ik mij alleen dat ik ben ontsnapt aan de gebaande paden. De liefdesrelaties die ik heb gehad volgden tenslotte ook een stramien en leken achteraf gezien nogal op elkaar. Van sommige gesprekken die ik heb gevoerd kan ik mij niet herinneren welke van de verloofdes de gesprekspartner was. Misschien herhaalde ik wel wat ik al eerder had gezegd. Bepaalde wandelingen heb ik met verschillende mannen gemaakt, ik ben met alle acht naar Parijs geweest en van ten minste drie heb ik zoveel gehouden dat ik mijn leven met hen had kunnen doorbrengen als ik niet zo kortaangebonden was geweest.

De liefde is een dans met vaststaande passen: je houdt van de ander, je voelt je beklemd. Dan ga je vreemd of je maakt de verkering uit. Soms is dat goed en soms heb je spijt.

In *Verliefd op een ander*, een boek van Peter Roorda uit 1991, beschrijft de ene vrouw na de andere hoe ze verzeild raakten in een buitenechtelijke verhouding. Soms betreft het een buurman, soms een collega, de ene vrouw verveelde zich kleurenblind in haar huwelijk, de andere had eigenlijk niets te klagen. Er zijn er die onmiddellijk een besluit nemen, anderen blijven eindeloos weifelen wie nu de ware is.

In *Affairs, the anatomy of extramarital relationships* van Tony Lake en Ann Hills staat een vergelijkbare opsomming, met als enig verschil dat in hun boek ook mannen aan het woord komen.

Volgens Lake en Hills wordt vrijwel ieder huwelijk bedreigd door de mogelijkheid van overspel en is het hoog tijd dat daar eens openlijk over wordt gesproken. Een beter inzicht in de beweegredenen van vreemdgaande huwelijkspartners zou volgens hen moeten leiden tot een nieuwe moraal, een stelsel van algemeen aanvaarde opvattingen over het huwelijk en de afwijkingen die voor kunnen komen. Deze auteurs zijn van mening dat verborgenheid de oorzaak is van de doem die over buitenechtelijk verkeer hangt. Er zouden minder scheidingen zijn als de mensen een nuchtere kijk op overspel zouden hebben.

Ik ken een echtpaar dat zich telkens weer in elkaars armen stort na een paar rondjes in de carrousel van het overspel. Iedere keer dat het hun overkomt, zijn ze weer helemaal in de roes van de gebeurtenissen, maar na afloop vatten ze hun huwelijk weer op alsof er niets bijzonders is voorgevallen.

Toen ik hen leerde kennen, waren ze vijfendertig jaar bij elkaar en zaten ze net in een periode van huwelijkstrouw. Die duurde alweer een jaar of vijf.

Op een dag kwam de vrouw een oude vlam tegen. Zij had met hem op de middelbare school gezeten. In de vierde klas hadden ze een poosje verkering, maar de jongen verhuisde, de liefde hield geen stand en ze hadden elkander al die jaren niet teruggezien. Tot ze elkaar op de boot naar Texel bij toeval ontmoetten. Zij was met haar twee oudere zussen onderweg naar een vakantiehuisje, hij woonde met zijn gezin op het waddeneiland.

'Kom gezellig langs!' riepen de zussen, 'wat enig!'

Hij kwam langs, zag zijn vroegere vriendinnetje met de ogen van lang geleden en verloor zijn hart. Zij ook.

'Het overspoelde ons,' zei zij, 'we konden het gevoel onmogelijk tegenhouden.'

Ze beschreef hoe ze van het ene ogenblik op het andere was veranderd, hoe ze zich aangeraakt had gevoeld door iets hogers. Een zuiverheid van gevoel die haar weerga niet kende. 'Het was,' zei ze, 'of ik voor het eerst begreep wat het woord "liefde" betekent.'

Het was een wonder boven wonder, zo te horen, maar ik trapte er niet in. Ik heb het allemaal zelf meegemaakt. Ooit had ik een relatie die nog vooral bestond uit wederzijdse kwetsuren. Op een dag was daar een andere man, een lieve snoes, die gemoedelijk was over zaken waarover mijn eigen verloofde narrig zweeg. Een man die lachte om mijn grapjes en die mij aankeek met een blik waarin diepe meren van vertedering fonkelden.

Maar toen de verliefdheid voorbij was, kon ik mij niet eens herinneren welke kleur zijn ogen hadden. Het gevoel was vervlogen, als de angst voor een examen, de hoofdpijn van gisteren, de lange uren dat je ergens op hebt gewacht.

'Hij gaat het volgende week aan zijn vrouw vertellen,' zei de vrouw van de schoolidylle, 'zij is heel kwetsbaar. Daarom wacht hij tot het juiste moment.'

Inmiddels was zij thuis maar vast begonnen met de plaatsing van de dynamietstaven.

Ze gedroeg zich afwezig en keek voortdurend op het schermpje van haar mobiel, waar om het halfuur een sms-bericht kwam piepen.

'Heb je een ander?' vroeg haar man.

Ze kon het blijde nieuws niet langer voor zich houden. Haar volmondig ja klonk als een huwelijksgelofte.

'Mijn wereld stortte in,' vertelde de echtgenoot later, 'ik dacht dat het ons nooit meer zou overkomen.'

Ik wist toen nog niet wat er in het verleden was gebeurd. Hij vertelde het mij: ze hadden al drie keer meegemaakt dat een van hen beiden vreemdging. Kort daarop vond de ander ook een buitenechtelijke geliefde en leefden ze in een roes langs elkaar heen. Tot een van de twee er genoeg van had en terugkeerde naar het oude nest. Dan duurde het niet lang of de ander volgde.

'Maar deze keer is het anders,' bezwoer de vrouw, 'deze keer is het de ware liefde.'

Ze vertrok naar Texel en huurde er een vakantiehuisje voor de hele zomer. De minnaar belde haar iedere dag een paar keer, sms'te zich een slag in de rondte, kwam drie keer per week anderhalf uur langs om de liefde te bedrijven en had nog steeds het juiste moment niet gevonden om zijn vrouw op de hoogte te brengen van de ware liefde.

Inmiddels had haar man op de sportclub een andere vrouw leren kennen. Zij was net gescheiden en ze hadden heel wat te bespreken.

'Mijn vrouw heeft een ander,' vertelde hij.

'Mijn man ook.'

Ze spraken af om de volgende keer weer samen te trainen en om de film die ze allebei in de bioscoop hadden gemist te gaan huren bij de videotheek.

'Dan kook ik!' bood de man aan. Het was het begin van een nieuwe romance.

Op Texel was het intussen koud aan het worden. Het vakantieseizoen was voorbij en op een of andere manier was het er nog niet van gekomen om de echtgenote duidelijk te maken dat haar huwelijk was gestrand.

Op 1 november sloten de vakantiebungalows en de vrouw wilde naar huis.

'Hoezo naar huis?' zei haar man, 'ik heb een vriendin!'

'Dat kan wel zo zijn, maar het is ook *mijn* huis en als je met haar wilt samenwonen, doen jullie dat maar bij haar.'

Maar de nieuwe vriendin had een te klein huis, bovendien geen badkuip en geen dvd-speler, dus stelde de man de beslissing nog even uit.

Op de dag dat zijn vrouw zou arriveren, stofzuigde hij de kamers en legde hij schoon beddengoed op het tweepersoonsbed. Toen ze binnenkwam was het een ogenblik onwennig, maar na een borrel voor het eten, een paar glazen wijn tijdens de maaltijd en nog een uurtje bij de televisie, gingen ze gewoon als vanouds samen slapen. Ze spraken af dat ze het er later nog wel over zouden hebben hoe het nu verder moest.

Het werd december en het echtpaar kocht een kerstboom. Uit Texel kwamen nog een poosje hartstochtelijke sms-berichten, maar de vrouw klikte ze ongelezen weg.

De man liep een peesblessure op en kon niet meer sporten. Hij ging nog wel naar zijn vriendin, maar hij had steeds vaker ruzie met haar omdat zij het niet pikte dat hij met zijn eigen vrouw in bed lag.

'We hebben geen seks!' protesteerde hij.

'Jullie kijken samen dvd's en dat is veel erger!'

Ik luisterde geboeid naar de toedracht van deze quadrille. Met de man op Texel had ik geen medelijden en ook niet met het echtpaar. Dat was lekker fris opgeschud en kon weer een poosje mee. Maar voor de vriendin vond ik het zielig. Zij had werkelijk gedacht dat ze aan een duurzame relatie was begonnen, weliswaar met een man die nog maar net van zijn vrouw af was, maar ze was vol hoop dat ze haar leven voortaan met deze man zou delen.

Ze heeft nog een paar maanden geprobeerd haar minnaar vast te houden. Hartstocht is een sterk argument, moet ze gedacht hebben, hij zou toch warempel dat uitgewoonde huwelijksbed niet verkiezen boven haar liefkozingen?

'Ik hou van je,' kreunde de man in haar armen, 'ik heb nog nooit zo heerlijk gevrijd als met jou.'

Thuis zat zijn echtgenote met een wrevelig gezicht.

'Je moet kiezen,' legde ze hem voor, 'je kunt met haar verder gaan, maar dan moet je het huis uit. Hier word ik gek van.'

En om haar woorden kracht bij te zetten, gooide ze het servies aan scherven.

'Je moet geduld hebben!' smeekte de man, 'ik heb toch ook op jou gewacht?'

'Helemaal niet,' antwoordde zij, 'je had meteen een ander.'

Het was een woordenwisseling zoals ze er al zoveel hadden gehad en die had dan ook nauwelijks gevolg.

Het werd zomer en de vakantietijd brak aan. De man ging met zijn vriendin naar Sicilië en daarna wilde hij met zijn vrouw een week fietsen in Frankrijk. Het kwam de vriendin misschien niet eens zo slecht uit, want haar familie had een bungalow in Spanje gehuurd en wilde dat zij ook kwam. Alléén, had haar zuster er nadrukkelijk bij gezegd, want zij moest niets van de nieuwe romance hebben.

Op de camping, na de eerste fietsdag, zat het echtpaar moe maar tevreden voor de tent, met een glas wijn. 'Proost!' zei de man, nam een slokje en haalde zijn mobiele telefoon te voorschijn.

'Wat ga jij nou doen?' vroeg zijn vrouw.

'Sms'en,' antwoordde hij onnozel.

'Naar wie?'

'Uh... naar haar.'

Dat antwoord viel niet goed.

'Als we terug in Nederland zijn, verhuis je,' verklaarde zijn vrouw.

De man vertrok die zomer naar een leegstaande etage boven het kantoor van een vriend. Maar het bleek geen ferm besluit dat een eind maakte aan alle twijfel. De was deed hij nog altijd in de echtelijke woning en daar stonden ook zijn boeken en zijn racefiets.

Zo is de toestand tot vandaag de dag.

Telkens wanneer hij zijn vrouw spreekt, belooft hij

dat alles weer goed zal komen en ten overstaan van de vriendin zweert hij dat hij uitsluitend van háár houdt.

'Hoe denk je dat dit gaat aflopen?' vroeg iemand die het echtpaar ook kent.

'De relatie met die vriendin gaat nog anderhalf jaar duren,' voorspelde ik, 'dan is het nieuwtje eraf en gaat de geschiedenis die hij met zijn eigen vrouw heeft zwaarder wegen dan de twee jaar met die ander. Vervolgens gebeurt er iets zodat hij geen gebruik meer kan maken van de etage van die vriend en dat is dan dat. Pappie komt weer thuis.'

'Maar als zij nou iemand tegenkomt?' vroeg de gemeenschappelijke kennis.

Ik schudde mijn hoofd.

'Zij heeft net Texel achter de rug,' antwoordde ik, 'zij houdt het nog wel een poosje droog.'

'En dan begint alles weer van voren af aan,' zuchtte de kennis. Zij heeft de vorige ronde ook meegemaakt. Toen duurde de hele escapade iets meer dan acht maanden.

'Ze doen er dit keer wel lang over,' zei ze zorgelijk.

Ik weet niet of het uitmaakt hoeveel tijd eroverheen gaat voor een goed huwelijk zich weer gaat gedragen als een goed huwelijk. Ik ken verhalen van mensen die elkaar na acht jaar weer in de armen sloten alsof de tussenliggende gebeurtenissen nooit hadden plaatsgevonden.

Volgens Tony Lake en Ann Hills is het herstel van de huwelijksharmonie voornamelijk een kwestie van de bereidheid van liefdespartners plaats te maken voor de vrijheden en leerprocessen van de ander. Dan wordt de pijnlijke periode van het overspel benoemd tot een noodzakelijke weg die het echtpaar moest afleggen om tot een diepere relatie te komen.

Niet iedereen is zo inschikkelijk.

'Als er één ding is dat ik niet verdraag, is het overspel!' heb ik een jonge vrouw eens met nadruk horen verklaren. Ik weet nog dat ik haar verbijsterd aankeek, want de man die naast haar stond en liefdevol op haar neerblikte was een onverbeterlijke vreemdganger. Ik wilde haar vragen waarom ze haar hart had verpand aan juist deze man, maar we stonden in een lawaaierig café en het was misschien ook niet zo'n verstandige vraag. Een paar weken later sprak ik haar woelige minnaar.

'Hoe gaat het met de liefde?' vroeg ik.

Hij trok een bedenkelijk gezicht.

'Op het ogenblik is het idyllisch,' zei hij, 'maar we hebben een moeilijke tijd gehad.'

'Stond je weer met je broek op je enkels?' vroeg ik meedogenloos. Hij keek even naar zijn schoenen.

'Geeft niet hoor schat,' zei ik, 'je bent nu eenmaal zo. En volgens mij bedoel je er niets verkeerds mee. Als die vriendin van jou er niet zo somber over zou doen, zou ze een lieve man aan je hebben. Volgens mij ben je gek op haar.'

Hij knikte.

'Ze is het beste wat me ooit is overkomen. Ik vind haar fantastisch. Ze is zacht en gevoelig, ze is kunstzinnig en ik zou niets liever willen dan oud met haar worden.'

'Dat lijkt me een beetje vroeg,' onderbrak ik. De man is nog niet eens veertig.

'Ik hou van haar!' zei hij treurig.

Ik weet zeker dat hij dat meent. Het is bij hem alleen geen zeldzame emotie. Hij komt geregeld iemand tegen van wie hij plotseling helemaal weg is, een vriendin van vroeger, of zomaar een vrouw in de tram met wie hij in gesprek raakt. Vrouwen vallen nu eenmaal op hem en hij kan het niet laten om op de uitnodiging in te gaan. Hij is niet bijzonder knap om te zien, maar hij is een onweerstaanbare mengeling van zachtheid en kordate mannelijkheid. Lief en sterk, daar houden vrouwen van.

Er zijn niet veel mannen die de twee eigenschappen in een mooie verhouding hebben. De meeste zijn te lomp om lief te zijn of ze overschatten hun eigen kracht.

'Een praatjesmaker,' stelt een vrouw dan al gauw vast.

Maar bij de keus van een liefdespartner gaan de mensen niet weloverwogen te werk.

Niemand maakt een profielschets en een functieomschrijving en gaat vervolgens op zoek naar de juiste invulling van de vacature. Verliefdheid kan op het eerste gezicht ontstaan of juist heel verrassend, na jarenlange onverschilligheid. Heftige spanning kan ook een romance uitlokken. Mensen die samen een ramp, een oorlogssituatie of zelfs maar een avontuurlijke wandeltocht samen hebben meegemaakt, kunnen zomaar in hartstocht ontbranden. Later merken ze pas of ze inderdaad bij elkaar passen of niet.

Soms is dat heel verrassend en blijkt de ander dezelfde achtergrond te hebben of precies te voldoen aan een romantische wens. Maar de liefde kan ook tegenvallen, vooral wanneer de eerste gloed is verbleekt. Van dichtbij zie je bepaald meer dan van op een afstand. Daarom lijken geheime minnaars en minnaressen ook boeiender dan echtgenoten. Daarbij komt dat iedere kikker door verliefde aandacht in een prins of een prinses verandert.

Dit verschijnsel is voor het eerst beschreven in 1938 door de Amerikaanse psycholoog Guthrie. Een groep mannelijke studenten had voor de lol afgesproken dat ze een onaantrekkelijk meisje uit de klas voortaan zouden behandelen alsof ze de winnares van een missverkiezing was. Het begon als een grap, maar na verloop van tijd ging het meisje zich anders gedragen. Ze werd vrolijk, flirterig en binnen een jaar vond niemand haar meer onaantrekkelijk.

Een andere psycholoog, Robert Rosenthal, noemde dit het Pygmalion-effect en hij beschreef het in allerlei onderzoeken over het verband tussen verwachtingen en ontwikkelingen. Kort samengevat stelde hij vast dat iets waarvan je denkt dat het niks zal worden, inderdaad niks wordt.

'Na hoeveel jaar huwelijk ben jij eigenlijk begonnen met vreemdgaan?' vroeg ik aan een vrouw die haar echtgenoot altijd heeft bejegend alsof ze een miskoop aan hem had.

'O al heel gauw,' antwoordde ze onverschillig, 'ik vond andere mannen altijd veel leuker dan die van mij.'

'Waarom ben je dan met hem getrouwd?'

'Ik dacht dat hij diepe gronden had, doordat hij zo stil kon zijn. Maar als ik vroeg waar hij aan dacht, kwam hij altijd met iets alledaags: *Aan de auto*, zei hij dan, of: *Aan wat er in de krant stond*. En dan ging hij ook nog vertellen wat dat was, een uitspraak van een kamerlid of een voorstel van een minister.'

'Waar had die minnaar het dan over?'

'Over mij! Over de liefde en dat zijn vrouw hem niet begreep.'

Wie op vrijersvoeten gaat, doet zijn best om in de smaak te vallen. Mannen die thuis zwijgend en met een wezenloze uitdrukking op hun gezicht langs de televisiekanalen zappen, blijken bij hun vriendin een vloeiende conversatie te kunnen voeren. Het hoeft niet zo lang, dus brengen ze het op. Bovendien is er een grote beloning: weergaloze seks.

Ik hoor vaak dat mannen bij een nieuwe vrouw in-eens al die dingen doen die in hun vorige huwelijk on-mogelijk schenen.

'Hij práát!' riep een vrouw verontwaardigd uit, 'met haar praat hij! En ik kreeg er geen stom woord uit.'

Hij praat, hij kookt, hij blijkt de was te kunnen doen en hij heeft binnen een jaar een baby, terwijl dat nu juist de reden is waarom zij van hem af is gegaan. Hij wilde beslist geen kind.

'Geldt dat dan allemaal niet voor vrouwen?' vroeg een vriend aan mij. Hij ergert zich aan mij omdat hij vindt dat ik polariseer en daar heeft hij groot gelijk in. Als ik iets over mannen hoor, vraag ik mij onmiddel-lijk af of vrouwen het ook doen. Maar ik kon in dit geval niet anders dan *nee* zeggen. Vrouwen gaan niet plotseling op goed gedrag zodra ze een nieuwe man hebben. Dat ligt niet aan hun voortreffelijke karakter dat nu eenmaal niet verbeterd kan worden, maar aan de klachten die voorafgingen aan de scheiding. Die kwamen niet van hem maar van haar. Vrouwen zijn altijd aan het vragen en klagen: 'Hè, waarom heb je nu alweer...' en dan komt er een aanwijzing, die de man soms probeert op te volgen en soms negeert. Als er erg veel foutmeldingen op hem afkomen, doet hij net of hij ze niet hoort en blijft volharden in zijn gedrag. Maar voor zijn nieuwe geliefde wil hij alles doen. Hij wil dat zij hem geweldig vindt en ineens herinnert hij zich dat je een vrouw blij maakt als je zelf je sokken in de wasmand gooit.

Mannen mopperen veel minder op hun vrouw dan andersom. *Zeur niet* zegt hij misschien of *stom wijf*, maar tot een doortimmerd betoog komt hij meestal niet.

'Ik ken anders wel vrouwen die er thuis altijd als een slons bij liepen, maar zich na de scheiding helemaal zijn gaan opdirken,' zei de vriend, 'dat is dan toch ook om indruk op andere mannen te maken.'

'Nee,' zei ik, 'een vrouw die er thuis uitziet als een oud huishoudschort is bezig met seksvermijding. Ze wil haar man niet op erotische gedachten brengen, want dan wil hij met haar naar bed en daar heeft ze geen zin in. Mannen die zich bij hun eigen vrouw gedragen als bavianen doen dat niet om weerzin op te wekken. Ze voelen zich gewoon lekker thuis en dan vliegt er wel eens een windje. Een man vindt dat hij thuis Zichzelf mag zijn en Zichzelf is een beetje morsig.'

Deze vriend vindt het laakbaar dat ik in stereotypen denk in plaats van nadruk te leggen op de eigenheid van ieder mens. Dat is opmerkelijk, want het is juist de individualiteit die maakt dat liefdespartners minder offers brengen voor een liefdesverbintenis.

Iteke Weeda, de gezinssociologe, zegt in een interview met Peter Roorda: 'Bij veel paren tekent de relatie van de toekomst zich al af. Je gaat steeds meer als individu door het leven. Ook anderen kunnen je erotisch raken.'

Daar worden we trouwens van harte in aangemoedigd. Alle reclames wijzen de weg naar meer aantrekkingskracht, naar avontuur en vernieuwing.

Vijftig jaar geleden was een vaste betrekking, een onwankelbaar huwelijk en het vooruitzicht op een onbezorgde oude dag het ideaal. Nu dromen we van verre reizen, spannende belevenissen en liefde die nooit zal vervelen.

Maar alle liefde bekoelt op den duur. Het is niet op te brengen om veertig of vijftig jaar te blijven branden van hartstocht. Vooral liefdespartners die op jeugdige leeftijd een belofte van trouw hebben uitgesproken, maken een grote kans dat ze binnen zes jaar vreemdgaan. Dat doen ze niet uit onverschilligheid. Ze denken dat een klein stapje op het avontuurlijke pad geen kwaad kan, dat een beetje flirten nog geen crisis hoeft te betekenen. Een gestolen kus met een buitenechtelijke ander geeft net dat sprankje opwinding dat het leven weer kleur geeft. Ze weten niet dat het de eerste maten zijn van een muziekstuk dat overal ter wereld klinkt.

10. Andere culturen

Mijn vader is in zijn leven maar zelden vreemdgegaan, ook al was dat niet zijn bedoeling. Hij vond huwelijkstrouw burgerlijk en heeft zijn uiterste best gedaan om andere vrouwen dan mijn moeder zover te krijgen dat zij met hem naar bed gingen.

Het was tevergeefs. Ze wilden niet. Misschien vonden ze hem fysiek niet aantrekkelijk, maar het kan ook aan zijn opvattingen hebben gelegen.

Als je op zoek bent naar clandestiene liefde, moet je niet rondbazuinen wat je van plan bent en daarbij doen alsof het de gewoonste zaak van de wereld is. Dat komt de romantiek niet ten goede.

Wie tegen de huwelijksbelofte in vrijt, moet uitdragen dat die ander zo'n onweerstaanbare aantrekkingskracht bezit dat er geen houden aan is. Dat er op zijn minst een bovennatuurlijke zegen rust op deze hartstocht, waardoor de regels die voor andere mensen gelden niet van toepassing zijn.

Dat deed mijn vader allemaal niet. Hij vond het

verwerpelijk dat de mensen niet naar willekeur vrijden, met God en klein Piereke. Met hem!

'Op Samoa,' zei hij, 'begrijpen ze niets van onze romantische liefde. Zij vinden seks iets heel gewoons en ze doen het met iedereen die er zin in heeft.'

Hij had in een boek van Margaret Mead gelezen dat er in de Stille Zuidzee een vrijgevochten volk leefde. Ze woonden op een paradijselijk eiland waar de westerse moraal geen opgeld deed.

Jaren later kwam uit dat Margaret Mead het verhaal had verzonnen en dat de Samoanen gewoon trouwden en probeerden wat van hun huwelijken te maken. Mijn vader zweeg voortaan over verre eilanden, maar je kon zien dat hij de moed niet opgaf. Ergens in de wereld moest het anders zijn dan in de Nederlandse naoorlogse jaren.

Hij had niet eens zo ver hoeven zoeken, lees ik in een onderzoek van de Amerikaanse psycholoog Lewis Diana. In Zuid-Italië schijnt niemand zich aan zijn huwelijkseed te houden. Jonge meisjes worden streng bewaakt, maar zijn ze eenmaal getrouwd dan mogen ze zelf weten met wie ze het zoal doen.

In België is het, voor zover ik weet, trouwens ook een Sodom en Gomorra. Ik heb korte tijd in Antwerpen gewoond en tijdens mijn inburgeringsperiode viel het me op hoeveel echtparen onduidelijk zijn over de tijd die verstrijkt tussen het eind van de werkdag en het opdienen van het avondeten. Belgen brengen veel tijd door in het café, zowel de mannen als de vrouwen gaan na hun werk een biertje drinken. Dat doen ze in de regel niet in huwelijksverband. Bovendien zijn in Antwerpen talloze kleine hotels waar tussen de middag gastvrijheid wordt verleend aan mensen die samen een herdersuurtje willen doorbrengen.

In Nederland staan grote motels langs de snelweg waar ook van alles schijnt voor te vallen. Ik heb een vriendin die daar veelvuldig gebruik van maakt. Zij is een flamboyante vrouw, die getrouwd is met een kleurloze man. Hij weet niet dat zijn vrouw een minnaar heeft. Zij heeft mij eens verteld dat hij denkt dat zij na de overgang geen animo meer had voor de seks. De werkelijkheid is heel anders. Ze is blind verliefd op een collega van haar man. Met hem maakt ze romantische afspraakjes voor wandelingen in het bos, met hem doet ze alles waar ze in haar huwelijk nooit aan toe is gekomen. 's Winters, wanneer het te koud is voor de liefde in de openlucht, gaan ze naar een motel langs de snelweg.

Mij lijkt dat nogal sjofel, maar de vriendin verzekert mij dat de uitbater van de motelketen wel weet wie zijn klanten zijn. In sommige badkamers is een ronde badkuip of een bidet, andere kamers zijn ingericht volgens een verlokkelijk thema. Er zijn jacuzzisuites, junglerooms, bubbelkamers en bruidsboudoirs.

'Je mag blij zijn als je je zoiets kunt veroorloven,' zei een vrouw die ook jarenlang een minnaar heeft gehad, 'weet je waar Jaap en ik het deden? In het berghok onder in een flat. Daar had hij de sleutel van. Er stond een oude divan. Daar lagen we op. De geur van Oude Divan staat voor eeuwig in mijn geheugen geprent. En het was er ook koud.'

Kou is niet goed voor de clandestiene liefde. Dat weet ik maar al te goed. Ik had een aantal jaren geleden iets moois met een getrouwde man. Omdat hij eigenlijk niet vreemd wilde gaan, deden we iedere week of de begeerte ons onverhoeds overviel, zomaar in het bos, waar hij mij zeldzame planten aan het aanwijzen was, omdat hij verstand had van de natuur en ik alles van die man wel wilde hebben, botanische les, zijn lichaam, zijn liefde. Zelfs de schuldgevoelens die hij had jegens zijn wettige echtgenote deelde ik met hem, hoewel ik van mijn leven nooit op dat vleesgeworden spijkerbed zou zijn gaan liggen en er al helemaal nooit mee zou zijn getrouwd.

Wanneer de man en ik in het bos wandelden, in ieder seizoen, ongeacht het weerbericht, kwam steevast het moment waarop wij stilstonden en onze lichamen zich weerloos aaneensloten. Soms was de grond zacht, maar vaak prikten de afschuwelijkste stekels in mijn rug of werd ik geducht gebeten door insecten.

Keer op keer nodigde ik hem uit eens langs te komen in Amsterdam waar ik een woning heb, een slaapkamer en een ordentelijk bed, maar dat verdroeg de moraal niet. Hij is mij niet één keer thuis komen opzoeken in de twee jaar die de romance duurde. In de winter van 1998 doofde onze hartstocht door de niet aflatende regen.

Ik zie mijn voormalige minnaar nog af en toe. Zijn dochter rijdt pony in de manege waar ik soms een buitenrit kom maken. Hij begroet mij bij die gelegenheden allerhartelijkst. Ik heb de indruk dat hij opgelucht is nu hij weer een deugdzaam leven als trouwe echtgenoot leidt.

Bij de Kofyar in Nigeria, schrijft Helen Fisher, neemt niemand er aanstoot aan als huwelijkspartners er iemand anders op na houden. De minnaar of minnares betrekt doodgemoedereerd een huisje op het echtelijke erf. De Kuikuru in Brazilië gaan een eindje wandelen langs de rivier om hun geliefde te ontmoeten. Daar weet het hele dorp alles van maar niemand verbiedt het. En bij de Turu in Tanzania hebben ze een speciaal liefdesfeest om gelegenheid te geven aan overspelige liefdesparen.

Zouden de Eskimo's hun gastvrijheid nog steeds uitstrekken tot in het echtelijke bed? De traditie van de Inuit wilde dat een mannelijke gast werd uitgenodigd zich in de armen van de vrouw des huizes te vlijen. Dat deden de Inuit trouwens niet zonder reden. De omstandigheden aan de noordpool zijn ruw. Inuitparen ruilden van partner om zich ervan te kunnen verzekeren dat het gezin geholpen zou worden, mocht de man niet terugkeren van de jacht. Reizigers die langskwamen waren doorgaans rijk, anders hadden ze zich de verre poolreis niet kunnen veroorloven. Als dank voor de genoten gastvrijheid gaven ze cadeaus, waardevolle zaken uit een verre, voor de Inuit onbereikbare wereld.

In de eerste helft van de twintigste eeuw zijn nogal wat onderzoeken verricht naar de tolerantie ten aanzien van buitenechtelijke relaties in verschillende culturen. Er waren maatschappijen waarbinnen op bepaalde dagen overspel was toegestaan, er waren er die geen bezwaar hadden tegen seksuele relaties buiten het huwelijk, zolang ze binnen de familie bleven, en andere volkeren stelden al helemaal geen verbod. De

Dieri in Australië, de Gilyak in Noordoost-Azië, de Hidatsa-indianen in North Dakota, de Lesu in New Ireland, de Masaï in Tanzania en Kenya, de Toda in India en de Kaingang in Brazilië, niet één van die volkeren heeft bezwaar tegen liefdesrelaties buiten het huwelijk.

'Zie je wel,' hoor ik mijn vader in gedachten triomfantelijk uitroepen, 'als je maar verder kijkt dan de Veluwe, dan zie je hoe bekrompen onze cultuur is.'

Ik moet hem postuum teleurstellen. Het overgrote deel van de mensen leeft in een maatschappij waar vreemdgaan niet mag. Overspel wordt bestraft met sociale afkeuring, uitstoting en in sommige culturen wordt de misdaad met verminking of de dood vereffend.

En in alle samenlevingen, hoe vrijzinnig van opvatting ook, staan emoties in de weg. Liefdespartners die verguisd worden omwille van een ander zijn overal ter wereld jaloers.

'Dat je vreemdgaat is tot daaraan toe,' zeggen de bedrogen echtgenoten, 'maar dat je het juist met dat crapuul doet. Dat kan ik niet verkroppen.'

Het kan de persoon zijn, tegen wie de bezwaren zich richten, maar ook het gekozen moment of de plek. De meeste mensen zullen niet gauw overspel plegen in het tweepersoonsbed waar de legitieme liefdesdaad zich zou moeten voltrekken. Daar telt de zonde dubbel.

In een publicatie van de Universiteit van Florida las ik een interessante discussie over een veel bezochte plaats voor vreemdgangers, die mijn vader nooit heeft gekend omdat hij bij het intreden van het digitale tijdperk allang dood was: het internet.

Internet biedt, behalve pornografische films die de bezoeker van de sekssite in alle afzondering kan bekijken, ook gelegenheid contact te maken met andere liefhebbers van het genre, in een chatroom.

In het voorbeeld van het artikel zit een niet nader beschreven persoon A met gloeiende wangen voor zijn of haar computerscherm. De deur van de werkkamer gaat open en zonder dat A het merkt komt zijn of haar liefdespartner binnen, B, van wie we ook al niet komen te weten of het een man of een vrouw betreft.

'O mijn verrukkelijke schat, kom bij me in bad zitten en laat mij aan je oorlelletjes knabbelen!' leest de onthutste B op het scherm.

'Wat zullen we nu hebben?' roept hij of zij woedend uit.

De rest van het artikel behelst het antwoord op die vraag. Is dit overspel?

Het is ontegenzeggelijk een seksuele uitwisseling met iemand anders dan degene die daar de kamer binnenkomt, maar bestaat die Ander? Is een virtuele liefdespartner een rechtspersoon? Kun je vreemdgaan met een ingetikt regeltje?

Ik zat in een zonovergoten achtertuin met het artikel op schoot. Om na te denken over die filosofische vragen liet ik het tijdschrift zakken, sloot mijn ogen en viel onmiddellijk in slaap. Ik droomde van Henk de Cyberman.

Toen internet nog maar pas gemeengoed was, chatte Henk er al op los, aanvankelijk zomaar voor de aardigheid, maar al spoedig had hij een verhitte uitwisseling met iemand in Nieuw-Zeeland. Hij had eens naar de kleur van haar ondergoed gevraagd, naar aanleiding van iets onschuldigs, een verjaarscadeautje voor zijn vrouw of zo. Nieuw-Zeeland was door de vraag in een zwoele stemming gekomen en omdat Henk ook niet van steen is, was hij gretig op haar erotische lokroep ingegaan.

'Ze woont zo ver weg, dat kan nooit kwaad,' verklaarde hij verontschuldigend toen ik eens informeerde naar de stand van zaken. En inderdaad had de virtuele vrijpartij geen nadelige gevolgen. Voor zover ik weet is Henk nog getrouwd en is zijn hartstocht voor Nieuw-Zeeland op den duur bekoeld. Maar voor de zekerheid belde ik hem.

'Ik heb van je gedroomd,' meldde ik en ik haalde de herinnering op aan zijn digitale uitstapje naar het zuidelijk halfrond.

'Het rare was,' zei Henk, 'dat het zich alleen op de computer afspeelde, dus het was niet echt vreemdgaan, maar het was toch slecht voor mijn huwelijk. Ik had een schuldig geheim, dat gaf al een verwijdering, maar ik merkte ook dat ik zat te vergelijken. Wij hadden net een baby. Ik weet niet of jij jonge moeders kent, maar die zitten altijd onder de kwijlvlekken en ze hebben nooit zin in seks. En ik maar inloggen.'

Zijn vrouw heeft nooit geweten hoe gevaarlijk dicht langs het ravijn Henk met hun huwelijk schuifelde. Zou zij woedend zijn geweest, vroeg ik mij af, of had ze haar schouders opgehaald, zoals veel vrouwen doen wanneer hun man de *Playboy* leest?

In het artikel wordt een principieel onderscheid gemaakt tussen cyberseks en het genot dat de *Playboy*-lezer beleeft, omdat plaatjes kijken een solitaire bezigheid is en daarom onder zelfbevrediging valt, terwijl seks in een chatroom interactief is, te vergelijken met telefoonseks. De meeste echtgenotes zouden heel boos worden als ze hun man met een bedrijvige hand in zijn kruis en een hoorn aan zijn oor zouden aantreffen.

Ik ken geen heterostel dat openlijk buitenechtelijk vrijt via internet. Ik sprak wel twee homomannen, van wie de een geregeld met ontblote geslachtsdelen voor de webcam zit. Hij bezoekt Amerikaanse sites waar buitenissige seks wordt aangeboden. Hij heeft mij eens laten zien wat er zoal te bezichtigen is in het digitale heelal. We begonnen met een groep die onder de verzamelnaam Hung Like a Horse te vinden is. Het betreft mannen die hun geslachtsdelen met siliconen hebben laten behandelen zodat ze tot huiveringwekkende grootte gezwollen zijn.

'Godallemachtig! riep ik geschrokken uit bij de aanblik van de rij geweldenaren die op het scherm verscheen.

'Ze zijn waarschijnlijk impotent hoor,' troostte mijn gids, 'door de siliconen verdwijnt een deel van het gevoel.'

'Waarom zou iemand dat in godsnaam laten doen?' vroeg ik verbijsterd.

Hij keek mij geringschattend aan. 'Het centrum van de genotsbeleving zit in de hersenen,' antwoordde hij, 'niet tussen de benen.'

Hij voerde mij mee langs sites waar mannen zich op afstand wilden laten commanderen, langs plasseks en coprofagie, langs jonge onvermoeibare seksslaven die pijn wilden lijden voor hun virtuele meester, tot we weer terug waren bij de wanstaltige balzakken.

'Ik zal eens kijken of een van de jongens wakker is,' zei hij, terwijl hij op zijn horloge keek, 'het is nu zeven uur in de ochtend in Denver.' Hij toetste een regeltje in. De chatnaam van de man op de foto verscheen in een kader: Big Larry.

'Hij is er wel,' zei mijn gids, 'maar hij heeft ook een webcam en ziet nu dat ik niet naakt ben. Dan vertrouwt hij mij niet.'

Big Larry verbrak de verbinding.

'Ik probeer een ander.' Hij tikte een berichtje in. Het antwoord volgde na een paar seconden: *Hi, I just woke up.*

We zonden nog twee kuise regels, toen namen we afscheid: *Have a nice day!*

We sloten het computerprogramma af.

'Wat vindt jouw vriend ervan?' vroeg ik.

'Hij houdt niet van computerseks.'

'Dat bedoel ik niet,' zei ik, 'wat vindt hij ervan dat jij dit allemaal doet?'

'In de homowereld is het allemaal wat ruimer,' legde hij uit, 'hij weet ervan, maar hij wordt er liever niet direct mee geconfronteerd. Daarom doe ik het alleen 's nachts, als Arend-Jan al naar bed is.'

Op dat moment kwam Arend-Jan de kamer binnen, met een glas karnemelk. Hij wierp een ontwijkende blik op ons en de computer en liep door naar het raam.

'Het regent niet meer,' zei hij vergenoegd, 'ik denk dat ik de tomatenplanten maar eens ga dieven.'

Ik vraag me af of de B uit het artikel over cyberseks bij de aanblik van Hung Like a Horse ook de snoeischaar zou hebben gepakt voor een vreedzaam doeleinde. Misschien hangt tolerantie af van de samenstelling van de relatie. Homoseksuele mannen zijn doorgaans vrijzinniger in hun opvattingen dan hetero's of lesbiennes.

Van lesbische meiden hoor ik geregeld dat ze wel degelijk promiscue zijn, maar zelf ken ik alleen monogame stelletjes, en zelfs vrouwen die vrijwel nooit meer met elkaar naar bed gaan en toch vinden dat ze de seks niet buitenshuis mogen zoeken. Het enige lesbische echtpaar dat in mijn bijzijn gemoedelijk praatte over vrijen met een ander, is verleden jaar uit elkaar gegaan, na een onverkwikkelijke periode van buitenechtelijke verliefdheid, heftige verwijten en een gebroken hart.

Vrouwen zijn maar zelden van mening dat vrijen voor de lol er niet toe doet. Zelfs vrouwen die de seks maar het liefst de deur uit zouden doen omdat ze er niks meer aan vinden, willen niet dat iemand anders de taak overneemt. Ze maken minder onderscheid tussen seks en toewijding. Een vrouw koestert haar geliefde met haar ziel, ook al heeft ze geen zin meer in de seks. Wanneer haar beminde iemand anders in zijn armen sluit, voelt het voor haar alsof hij opstaat van zijn plek in haar zonneschijn en onverschillig wegkuiert. Geen ogenblik overweegt ze dat het hem alleen om de seks gaat.

'Je houdt niet meer van mij!' huilt ze.

Ik denk dat het vooral de verandering is die schrijnt. Als er tevoren nooit sprake is geweest van buitenechtelijke belangstelling, betekent de introductie van een nieuwe seksuele partner een grote dreiging, of dat een persoon met een temperatuur van 37 graden is of een virtuele sekspoes, een zwoele stem aan de telefoon voor een bedrag van 2 euro per minuut of een foto van een sloerie in een pornoblaadje.

Daarom kan het homoseksuele mannen misschien minder schelen als de ander af en toe buiten de deur klaarkomt. In de nichtenscene is de maagdelijke aanlevering van een bruidegom geen vereiste. In het algemeen houden homoseksuele mannen er vanaf de ontdekking van hun seksuele voorkeur een druk liefdesleven op na. Maar ook al houden ze het betrekkelijk kuis, de gelegenheid voor geregeld seksueel contact staat tot hun beschikking. Er zijn nichtensauna's en cruiseplekken, er zijn talloze ontmoetingsplaatsen waar mannen elkaar gul maar zakelijk geven waar ze voor komen: seks.

Bij mijn weten zijn er geen vergelijkbare oorden voor vrouwen en als ze er zouden zijn, werden ze bij lange na niet zo druk bezocht als de bossen, de parkeerplaatsen, de toiletten en de begroeide bermen en duinpannen die door de mannen worden bevolkt.

De enige plek waar een vrouw nog enigszins anoniem kan vrijen voor haar genoegen is de parenclub. Ik ben er een aantal malen geweest.

Het was geen onverdeeld genoegen, vooral doordat alle mannen die er kwamen op echtgenoten leken, met hun gemoedelijke huwelijksbuiken en hun verlegen bravigheid. Als ik zo'n man had gewild, had ik kunnen trouwen.

Ook de anonimiteit viel bepaald tegen.

'Hoe heet je?' was de eerste vraag die mij werd gesteld.

Er was één club waar ik mij minder opgelaten voelde. Dat lag aan de inrichting. Er was een bar waar je kon kwebbelen, een dansvloer waar je kon dansen en de rest van de ruimte was ingedeeld in drie graden van intimiteit: een lichte kamer voor de lichte seks, een sm-kamer voor de liefhebbers en een darkroom voor wie werkelijk niet wilde weten wie de gretige lustgenoot was.

Toch ben ik er niet teruggekeerd. Seks is leuk, maar om er nou de deur voor uit te gaan in een latexjurk? Bovendien ben ik een vrouw en geldt voor mij wat voor de meeste andere vrouwen opgaat: als ik van iemand houd, wil ik het liefst met die persoon naar bed en verlang ik niet naar een ander.

'Hebben vrouwen dan nooit eens zin in een spannend avontuur of zomaar in seks voor de lol en niet voor de liefde?' vroeg een man hoofdschuddend. Hij kon zich niet voorstellen dat vrouwen zonder brandende fantasieën door het leven gaan: 'Waarom hebben vrouwen geen dromen?'

'Natuurlijk fantaseren we,' antwoordde ik kribbig, 'we krijgen alleen maar zo zelden de kans iets te verzinnen. Bij de eerste tekenen van seksuele belangstelling staat er al een dienstwillige penis klaar. We krijgen een overdosis!'

Dat geldt overigens niet voor alle vrouwen. Ik ken een vertaalster die een beeldschone man heeft, een Braziliaanse sportman. Dat wist ik aanvankelijk niet. Ik kwam haar af en toe tegen bij gemeenschappelijke kennissen en dan was ze meestal alleen. Maar op een dag had ze hem bij zich. Terwijl ik hem begroette, legde ik terloops mijn linkerhand op zijn bovenarm en voelde daar zulke machtige spieren dat ik verschoot.

'Wat een mooie man!' zei ik later tegen haar.

'Hartstikke mooi,' beaamde ze, 'maar dat is alleen om naar te kijken.'

Ik hief mijn handen in een verontschuldigend gebaar. 'Ik doe niks!' riep ik, maar ik had haar verkeerd begrepen.

'Hij ook niet,' zei ze bitter.

Het bleek dat haar man, zo lief en aanhankelijk als hij was, nooit met haar vrijde.

Wanneer zij klaagde dat ze verdorde, trok hij een verdrietig gezicht, nam bloemen en taart mee, deed een of twee keer zijn best en zonk vervolgens weer weg in de seksuele schemertoestand waarin hij gewoonlijk verkeerde.

'Ga je weg of niet, dat kan niet!' protesteerde ik, 'hij heeft een ander! Hij is cryptohomo! Hij slikt anabolen waar hij impotent van wordt.'

Maar hij heeft geen ander en zeker geen andere man. Hij slikt geen spierversterkende middelen en impotent is hij ook niet, volgens haar.

Een andere mogelijkheid is dat er sprake is van jaloezie. Daarmee bedoel ik niet de seksuele afgunst, maar het onplezierige besef dat zijn vrouw maatschappelijk boven hem staat. Daar kunnen sommige mannen niet tegen. Met de mond belijden ze bewondering en trots, maar hun geslachtsdelen zijn met die fiere mening in tegenspraak. Een psycholoog die gespecialiseerd is in impotentie bij mannen zei dat hij bij goed opgeleide tweeverdieners soms een onmiskenbaar verband constateert tussen het maatschappelijk overwicht van de vrouw en de teloorgang van de seksuele liefde van de man. Hij ontwikkelt dan een onvermogen om een erectie te produceren, komt onverhoeds en veel te snel klaar of houdt het helemaal voor gezien in bed. Dat laatste kan heel goed het geval zijn met de betoverend mooie Braziliaan, al zou hij die analyse vermoedelijk in alle toonaarden ontkennen. Hij is dol op de vertaalster, hij houdt van haar met hart en ziel, alleen niet met zijn lichaam. Dat heeft hij verpand aan de sportschool.

Ik vroeg mij af hoe zij zich troostte, want ik weet dat ze een warmbloedige vrouw is, die graag een bloeiend liefdesleven zou hebben.

'Fantaseer jij veel?' vroeg ik haar, 'zoek je op internet naar seksueel vertier?'

'Getver nee!' zei ze, 'dat is allemaal zo ranzig. Als ik de pseudoniemen lees waar die mannen zich van bedienen, heb ik al geen zin meer. Ik heb het wel eens geprobeerd. Er zijn allerlei sites waar je terechtkunt met je meisjeswensen, maar die vind ik niet interessant. De mannen die zich daar aanbieden zijn veel te gretig. En ze liegen allemaal over hun leeftijd, hun uiterlijk en wat ze zoal kunnen. Ik heb een vibrator, dat weet Antonio wel, maar hij zegt er nooit iets over. Ik gebruik hem alleen als hij niet thuis is.'

Ik trok een bedenkelijk gezicht.

'Je mag wel uitkijken dat daar geen spinnenwebben gaan groeien,' zei ik met een veelbetekenende blik op haar schoot, 'waarom houd je Antonio niet als goede vriend en zoek je een minnaar? Ik vind het zonde van je mooie jaren.'

'Maak je geen zorgen,' antwoordde ze met een hoofd als een biet.

'Zo zo,' zei ik, 'en wie is de gelukkige?'

Het was een wat oudere man, die bij Scotland Yard werkte. Ze had hem bij een rechtszaak ontmoet, waar ze moest tolken.

Antonio wist van niks.

'Ik ga het hem op den duur wel vertellen,' zei ze.

'Niet doen!' riep ik, 'wat schiet je daar nou mee op? Als je niks zegt, heb je de ideale situatie, Antonio als dierbare platonische vriend en die ander voor de seks. Tot je het niet meer uithoudt en altijd bij je minnaar wilt zijn. Wat enorm stom zou zijn,' voegde ik eraan toe.

'Ik vind het niet eerlijk ten opzichte van Antonio,' zei de vrouw.

'Is het de eerste keer dat je een ander hebt?' vroeg ik.

Ze werd weer rood.

'Jij mag wel eens uitkijken met dat blozen van jou,' zei ik, 'zo maak je geen schijn van kans als je liegt.'

'Ik weet het. Maar Antonio vraagt toch nooit iets.'

'Hij steekt zijn kop in het zand,' oordeelde ik.

De vrouw knikte mismoedig. 'Liever dan tussen mijn benen,' zuchtte ze, 'jammer hè, van zo'n leuke lieve man.'

'En nog mooi ook,' vulde ik aan.

We zwegen even.

'Waar woont die politieman?' vroeg ik.

'In Londen,' antwoordde ze, 'hij is getrouwd.'

'Dan moet je al helemaal niet gaan biechten,' zei ik resoluut, 'het buitenland telt niet.'

Zo heeft iedereen zijn eigen definitie van moraliteit.

In het artikel over cyberseks raken A en B hopeloos verstrikt in een discussie over liefde en seksuele trouw. Als de verhitte badscène met de oorlelletjes niks te betekenen heeft, zegt B, is seksualiteit kennelijk een bezigheid die je ook zonder emotie kunt beleven.

'Dat hangt ervan af met wie je vrijt,' weerlegt A, 'en wanneer. De ene keer voel je meer dan een andere.'

'Vrij jij ook wel met mij zonder dat er meer aan te pas komt dan de mechanische handelingen die tot een orgasme zullen leiden?' vraagt de geplaagde B.

A ontkent dat natuurlijk.

'Maar waarom zou je naar onbetekenende seks verlangen met C, terwijl je in een liefdevolle omhelzing met mij kunt liggen?' is de volgende vraag.

Opnieuw moest ik het tijdschrift terzijde leggen, ditmaal uit ergernis. Wat was dat voor vervelend gezeur? Onwillekeurig nam ik aan dat hier een vrouw aan het jeremiëren was. Ik bladerde naar de volgende pagina. Het bleek om een feministisch debat te gaan. Het hele alfabet zal vermoedelijk wel uit vrouwen bestaan, nam ik aan.

B redeneert: 'In onze cultuur heeft seks een intieme betekenis. Wanneer jij masturbeert beleef je die intimiteit met jezelf en dat is vanzelfsprekend toegestaan. Maar als jij een seksuele uitwisseling met een ander hebt dan jezelf of met mij, doorbreek je onze magische cirkel.'

A brengt daartegen in dat huwelijkstrouw oorspronkelijk uitsluitend gold voor vrouwen en bedoeld was om hun vrijheid te beteugelen zodat hun echtgenoot zeker kon zijn van de legitimiteit van het nageslacht. Een feministe dient daartegen gekant te zijn.

B weerlegt dat het een kapitalistische en uit dien hoofde verwerpelijke strategie is om alle menselijke omgang te ontdoen van de emotionele waarde en uitsluitend te zien in termen van producten die worden uitgewisseld.

Op dat punt aangeland wierp ik het artikel in een hoek. Dogmatisch feministisch en marxistisch bovendien, daar waren we toch dertig jaar geleden al mee klaar?

Het sterkste argument tegen overspel is misschien wel dat je er zulke oeverloze discussies mee uitlokt, gesprekken die iedere lust doen verkommeren.

Mijn vader heeft mij eens verteld over een mislukte escapade die hij had ondernomen om een andere vrouw te verschalken. Hij zou haar helpen met een tekst die zij moest schrijven. Omdat hij niet eerder dan tien uur 's avonds bij haar kon zijn, vroeg hij of hij bij haar kon blijven slapen. Dat mocht, maar voor zij bereid was het bed met hem te delen, wilde zij precies weten wat zijn huwelijk voor hem betekende, of hij later thuis zou vertellen wat hij had gedaan en of hij van plan was de relatie die zij op het punt stonden te beginnen verder uit te diepen.

'Ik ben naar huis gegaan,' vertelde mijn vader verslagen, 'ik voelde niet meer de geringste begeerte.'

Vreemdgaan is alleen leuk als je het als een bevrijding beschouwt of als een avontuur. Zo begint een overspelige relatie ook meestal.

Astrid Joosten heeft in 2001 een boekje samengesteld met interviews die ze heeft gehouden met tien vrouwen die een relatie met getrouwde mannen hadden of hebben gehad. Het is een treurig boekje.

De eerste maanden van de geheime romance zijn verrukkelijk. Wel twintig keer per dag wisselen de gelieven stiekeme sms'jes uit, ze voeren intieme gesprekken, soms stellen ze de daadwerkelijke seks zo lang mogelijk uit, om de schijn van huwelijksfatsoen op te houden, maar dan is het zover: de liefde overwint en het overspel kan beginnen.

Na verloop van tijd verandert het verlangen naar elkaar in een schrijnend gemis en gaan de gesprekken niet meer over diepe emoties maar over de mogelijkheid of de onmogelijkheid van een scheiding. Uiteindelijk zitten de vrouwen alleen nog te wachten of hij zal bellen, of hij nog komt, of hij tijd voor haar heeft. Als cavia's die ooit boven aan een verlanglijstje hebben gestaan, maar naar wie nu niemand meer omkijkt.

Zelfs de vrouw die ten slotte met haar minnaar is getrouwd, klinkt alsof ze de poedelprijs mee naar huis heeft genomen maar niet wil klagen omdat ze wist dat ze het spel kon verliezen.

Ik heb nog zo'n soort boek in huis, een compilatie van verslagen van overspelige verhoudingen. Het heet *De Duivelsdriehoek* en er komen veel vrouwen in voor die enthousiast vreemdgaan. Die zijn er natuurlijk ook legio, maar de enige verhalen die ik uit mijn eigen omgeving ken, zijn de berichten van vrouwen die van hun schaduwrelatie net zo'n dooie boel hebben weten te maken als van hun huwelijk.

Het minste wat je van een zondige levenswandel mag verwachten is dat je je er niet bij verveelt.

11. De sleur

In *De Kleine Prins* van Antoine de Saint-Exupery staat een passage die ik mooi vind. Het zijn de woorden van een vos, die aan de kleine prins vraagt om hem te temmen:

Mijn leven is eentonig. Ik jaag op kippen en de mensen jagen op mij. Er is niks aan, want alle kippen lijken op elkaar en alle mensen ook. Maar als jij me zou temmen wordt mijn leven vol zon! Dan ken ik voetstappen die anders zijn dan alle andere. Voor de voetstappen van mensen kruip ik weg in mijn hol onder de grond, maar die van jou zullen mij juist naar buiten lokken, als muziek! En zie je die korenvelden? Ik eet geen brood en het koren zegt mij niets. Maar jij hebt blond haar. Als je mij tam hebt gemaakt, zal ik door het blonde koren aan jou denken. Ik zal het geluid van de wind in het koren mooi vinden.

Getemd worden, je ziel en lichaam uitleveren aan iemand die je hebt gekozen, die jou heeft aangewezen als de allerliefste, dat is liefde, de bestemming van een lange zoektocht. Hier houdt elk deel van de boeketreeks op, het Sprookje is uitverteld en nu begint de Relatie. De opdracht aan de geliefden is de begeerte te koesteren en elkaar in ere te houden. Dat wil nog wel eens mislukken. Wat eerst wild en oorspronkelijk was, wordt getemd en op den duur tam. De kolkende rivier bedaart en verandert in het kabbelende beekje van de dagelijkse omgang.

In plaats van de betovering van de liefde zijn er kleine ergernissen, en de voortdurende vraag of je het zult halen om nog even met een bloemetje langs het ziekenhuis te gaan waar je oude moeder met een gebroken heup ligt, voor je naar de supermarkt gaat en de kinderen uit school komen.

De liefde.

Misschien was het maar beter om niet zo tam te worden, zodat het leven minder zou lijken op een bestaan als werkdier, gezinslid en uitgebluste liefdespartner, die zo snel mogelijk een orgasme krijgt of veroorzaakt, zodat het licht uit kan en de slaap mag komen.

Het is een van de redenen die mannen noemen als ze vreemdgaan. Ze missen de spanning van de verovering, van de jacht.

'Ik wilde gewoon weten of ik nog iemand kon versieren,' vertelde een vriend van mij die tot over zijn oren in de moeilijkheden zit, omdat hij het hield met iemand van kantoor. Zijn vrouw kwam er bij toeval achter en nu gaan ze samen naar relatietherapie om te redden wat er nog te redden valt.

'Eigenlijk is er niks mis met mijn huwelijk,' zegt de man, 'het was alleen een beetje saai. Daardoor kon het gebeuren. Ik weet niet zo goed wat we bij die psycholoog moeten.'

Zijn vrouw weet het maar al te goed. In de spreekkamer kan ze haar grieven kwijt.

Ze is tot op de bodem van haar ziel gekwetst door het overspel en dat laat ze luid en duidelijk horen. Bovendien vond zij het thuis ook niet meer zo spannend, de laatste jaren. Nu is het lekker oorlog en zij wint, want ze heeft het morele gelijk aan haar zijde.

Het is niet altijd schadelijk als echtparen elkaar bedriegen met een ander. Het kan natuurlijk het eind van een relatie betekenen, maar als er genoeg redenen zijn om bij elkaar te blijven – kinderen, financieel of materieel gerief, de herinnering aan goede tijden en een zeker gevoel voor de betrekkelijkheid van de belediging – kan een beetje opschudding weldadig zijn.

Ik ken een echtpaar dat in de late jaren zeventig erg tekeer is gegaan met allerlei stiekeme affaires. Telkens wanneer de een buitenechtelijk verliefd werd, ging de ander op zoek naar een akkefietje om de ontrouw betaald te zetten. Terwijl de geheime minnaars en minnaressen dachten dat zijzelf al die hartstocht veroorzaakten, waren het eigenlijk de vurige ruzies óver hen die de harten van de echtgenoten vervulden.

Ik was in die tijd hun relatietherapeut en ik keek iedere week met spanning uit naar hun komst. Dan was er weer een nieuwe aflevering van de soapserie. Jammer genoeg verdween het echtpaar uit het zicht voor er een ontknoping had plaatsgevonden. De vrouw vond dat er te weinig resultaat werd geboekt in de spreekkamer. Zij wilde dat ik krachtdadig zou ingrijpen en dat deed ik niet. Ik vond hun huwelijk lang niet zo slecht als zij. Ze verveelden zich nooit met elkaar.

Verveling, gewenning en verwaarlozing zijn fnuikend voor de liefde.

Tot op zekere hoogte is het de mensen hun eigen schuld dat die kwalijke invloeden zich doen gelden. Vooral onervaren liefdespartners doen domweg niet genoeg moeite om het hart op temperatuur te houden.

Ik zat er soms bij als de dochter van mijn vriendin haar verkering over de vloer had. Het meisje was in die tijd tweeëntwintig en haar vriend een jaar ouder. Op vrijdagavond kwam hij uit Den Helder, waar hij iets onduidelijks deed bij de marine. Zij had dan een paar films gehuurd en samen brachten ze de avond door op de sofa, languit in elkaars armen, terwijl hij commentaar op de films gaf:

'Jezus, wat een onwijze kutfilm heb je uitgezocht.'

'Had ze dan zelf meegebracht.'

'Ja hallo, daar heb ik nogal lekker tijd voor!'

Soms gingen ze samen uit en maakte zij zich mooi.

'Wat zie je er prachtig uit!' riep ik eens verrast. Dit meisje is al mooi als ze in een huispyjama loopt, maar nu had ze de overtreffende trap van haar eigen schoonheid bereikt.

'Ja, vind je me mooi?' bloosde ze terwijl ze naar haar verkering keek.

'Je hep een dikke reet,' was zijn commentaar.

De verhouding heeft tweeënhalf jaar geduurd, zoals vrijwel alle eerste romances. Jonge mensen houden geen rekening met de vergankelijkheid van verliefdheid. Ze gaan ervan uit dat hun hartstocht vanzelf zal blijven opborrelen als water uit een bron die niet kan opdrogen omdat hij zo diep zit. Maar die gelukzalige toestand duurt gewoonlijk maar een jaar of twee. Dan volgt de uitloop van ongeveer een jaar, waarin de geliefden ruzie maken en zich vervelen met elkaar, tot ze beduusd moeten vaststellen dat ze er niks meer aan vinden. Dat heeft de natuur zo bedoeld.

Bij de meeste dieren vindt de paring plaats, waarna het mannetje maar weer eens opstapt en het vrouwtje de zorg voor de nakomelingen op zich neemt, mocht dat nodig zijn. Dat is niet bij iedere soort het geval.

Zeeschildpadden, bijvoorbeeld, komen in vol ornaat ter wereld en gaan vastberaden op weg naar zee. Als individu zijn ze tamelijk hulpeloos, een gemakkelijke prooi voor hongerige vijanden, maar door hun aantal bereiken genoeg schildpadjes de zee om van een geslaagde voortplanting te spreken. Zij kunnen het zonder ouderlijke zorg stellen.

Jongen die wel afhankelijk zijn van hun moeder, zoals zoogdieren, worden met een onvoltooid lichaam geboren. Ze kunnen nog doof zijn, blind of beide, ze kunnen nog niet lopen of vluchten.

Soms helpt het mannetje mee met de verzorging. Dat doet hij als hij een nest heeft dat zonder zijn bescherming en zijn bijdrage in de voedselvoorziening kan verhongeren of verkommeren.

Bij mensen duurde die omstandigheid van oudsher een jaar of vier. Volkeren die in groepsverband leven en niet zoals de meeste westerlingen in kerngezinnen, houden de kleinste kinderen in die periode heel dicht in de buurt. Daarna sluiten de kleuters zich aan bij andere jonge kinderen en worden ze wat minder nauwlettend in de gaten gehouden.

Zolang een vrouw borstvoeding geeft, is het onwaarschijnlijk dat zij opnieuw zwanger wordt. De hormonen die de melkvoorziening op gang houden schijnen de eisprong te verhinderen. Bovendien houdt een zogende moeder van het voedsel dat ze eet te weinig vet over om vruchtbaar te worden. Maar al spoedig nadat de baby is gespeend en de vrouw de vetten die zij eet weer voor zichzelf kan gebruiken in plaats van voor de moedermelk, vindt een ovulatie plaats en kan zij opnieuw zwanger raken. Wat de natuur betreft hoeft dat niet door dezelfde man te worden bewerkstelligd. Misschien is er wel een beter exemplaar beschikbaar, aan wie de vrouw ditmaal de voorkeur geeft.

Helen Fisher somt een lange lijst met namen van volkeren op bij wie het gebruikelijk is dat er een periode van een jaar of vier tussen twee geboorten verstrijkt. Zij wijst op de overeenkomst met de echtscheidingscijfers in de westerse wereld, die na vier jaar huwelijk een piek vertonen, vooral bij jonge mensen. Wanneer er meer dan twee kinderen zijn, gaan echtgenoten niet zo snel meer uit elkaar en na het dertigste levensjaar zijn ze ook minder geneigd elkaar te verlaten.

Ik denk dat ze tegen die tijd hebben geleerd dat je een beetje moeite moet doen om een liefdesrelatie in stand te houden. Als je de boel maar in de lap laat hangen, haal je de vier jaar niet eens en is de gloed na de

verliefdheid al verdwenen, ook al lijkt dat aanvankelijk onmogelijk.

In die eerste twee jaar verdragen geliefden het nauwelijks om uit elkanders blikveld te zijn.

Toen mijn broer ging samenwonen met de leukste
vrouw van de wereld, zei hij: 'Ik vind het zonde om
kostbare minuten te verspillen aan naar elkaar toe reizen. Als wij klaar zijn met werken, willen we zo snel
mogelijk samen zijn.'

Een oudere vrouw, die bijzonder gelukkig is in haar
tweede huwelijk zei: 'Ik vind iedere dag die ik niet
met hem doorbreng een verloren dag.'

Deze twee relaties houden al jarenlang stand. Dat
komt doordat de partners elkaar zorgvuldig in hun
waarde laten.

'Als wij ruzie hebben, heeft zij meestal gelijk,' zegt
mijn broer, 'en het lieve is dat ze mij de tijd geeft om
daarachter te komen.'

Ik heb zelf inmiddels een stoet van verloofdes ver-
sleten. De meeste romances hebben precies tweeënhalf jaar geduurd, alsof ik de bijsluiter voor seriële monogamie goed had gelezen. Tegen de tijd dat het
nieuwtje eraf was, stapte ik op of werd ik verlaten.
Maar met vrijwel alle exen heb ik achteraf een mooie
vriendschap opgebouwd. Toen we niet langer gelukkig hoefden te zijn werd de omgang veel gezelliger.

Bovendien hadden wij elkaar maar weinig te verwijten. We hadden ons niet werkelijk bezeerd in de
relatie. Als je samen besluit dat er geen voortgang
meer zit in de liefde, kom je sneller over de breuk heen
dan wanneer de een allang voor zichzelf was begonnen en de ander daar niets van wist.

Ik ken een man die jarenlang het gevoel had dat zijn vriendin er iemand anders op na hield. 'Ik merk het als mensen tegen mij liegen,' verklaarde hij, 'ik weet niet waar ik het aan zie, maar ik vergis me nooit. Ik heb haar gesmeekt dat ze mij de waarheid zou vertellen. Ik vond de onzekerheid veel erger dan dat ze vreemdging. Maar ze bleef het ontkennen. Tot ze op een dag doodleuk meldde dat ze bij me wegging omdat ze al drie jaar een ander had.'

Op een zomerochtend werd ik om halfzes gebeld. Toen ik de telefoon opnam, werd de verbinding meteen verbroken, maar aan de nummermelding kon ik zien dat deze man mij had gebeld. Ik toetste zijn nummer in.

'Laat maar,' zei hij, 'sorry. Ik had je niet moeten bellen.'

Tien minuten later stond ik voor zijn deur. Wat ik aantrof zal ik niet gauw vergeten. Hij steunde op de keukentafel met een van pijn vertrokken gezicht.

'Ik kom hier niet overheen,' zei hij, 'ik weet niet eens hoe ik de volgende vijf minuten moet doorkomen.'

Het was niet de eerste nacht die hij wakend door had gebracht. Overdag ging het nog wel, zolang hij aan het werk was, maar zodra hij alleen was, sloegen de angst en het verdriet toe. Ik heb niet vaak iemand zo heftig aan liefdesverdriet zien lijden.

Vreemdgaan slaat niet altijd zo'n krater in een leven. Soms is het niet meer dan een slordig incident. Vooral wanneer het de man is, die zich te buiten is gegaan aan overspel, is er geen reden te denken dat zijn liefde is verdord. Mannen zijn veel nieuwsgieriger dan vrouwen. Ze zouden maar wat graag een hapje willen proeven van al het lekkers dat ze voor hun ogen zien voorbijtrekken, even vrijen, friemelen desnoods en misschien tersluiks een kleine paring. Ze willen een vrouw niet voor de heb, ze willen alleen weten hoe ze voelt.

Zolang een vrouw ongebonden is en geen kinderen heeft, kan ze ook frivool zijn en misschien zelfs net zo ondernemend als een man. Er bestaan vanzelfsprekend ook mannen die uitgesproken eenkennig zijn. Maar beiden zijn uitzonderingen.

Ik ken niet één vrouw die kinderen heeft en evengoed als een vlinder van bloem tot bloem gaat. Ze heeft er geen tijd voor. Kinderen hebben een compact programma. Ze moeten naar school of naar de crèche, ze moeten eten en naar balletles, op tijd gebracht en opgehaald worden. Er zijn ouderavonden en verjaarspartijtjes. Ze moeten naar het consultatiebureau en naar de intocht van Sinterklaas. Daar organiseer je niet moeiteloos een buitenechtelijke verhouding omheen.

Alleen als de man net zo ijverig is met halen en brengen, zou het mogelijk zijn. Dan kan ze stiekem met een ander vrijen, tot haar echtgenoot erachter komt. Daarna is het onherroepelijk voorbij. Ook mannen die het zelf niet zo nauw nemen met de monogamie, zien niet graag een koekoek in hun nest.

12. Jaloezie

Ik kwam terug van een korte reis. De man met wie ik samenwoonde verwelkomde mij en vroeg of alles goed was gegaan. Ja, zei ik, het was een goede reis en ik ben blij dat ik weer thuis ben. Ik omhelsde hem. Had ik het toen al kunnen weten? Rook hij vaag naar een onbekend parfum? Had ik moeten zien dat er schone lakens op het bed lagen, terwijl hij anders nooit naar het beddengoed omkeek?

Ik kwam er pas jaren later achter, toen ik in een tijdschrift een verhaal van zijn hand las waarin hij beschreef dat hij bang was dat ik de zeep zou ruiken waarmee hij de bevlekte lakens had gewassen, omdat hij niet wist hoe de wasmachine werkte. Ik nam aan dat het verhaal op waarheid berustte, want de rest van de geschiedenis klopte ook min of meer.

Het was te laat om jaloers te zijn of kwaad. Het was allang uit tussen ons. Ik stond met het blad in mijn hand en voelde vooral verbazing.

De mannen met wie ik verkering heb gehad, gingen in de regel niet vreemd. Zolang ze het naar hun zin hadden met mij, was er geen reden en tegen de tijd dat de liefde begon te verdorren, maakten we het uit. We hadden geen kinderen, geen tweede huis of een hypotheek, die ons tot elkaar veroordeelden.

Bovendien ben ik niet erg jaloers. Als een ander het beter kan, mag zij het verder doen, denk ik al gauw.

Wanneer ik dat hardop zeg, bijvoorbeeld in een gesprek over vreemdgaan in het algemeen, krijg ik smalende blikken.

'Wacht maar tot het je overkomt,' zeggen de gespreksgenoten, 'dat je erachter komt, niet jaren later, als het je niks meer kan schelen, maar meteen, terwijl het net is gebeurd of nog steeds aan de gang is.'

Het is mij overkomen en ik viel niet in scherven uiteen.

Ik had verkering met een man die een zekere reputatie had als praktiserend homoseksueel. Ik weet niet hoe wij tot elkaar werden gedreven. Misschien was ik jongensachtig in zijn ogen, misschien was hij minder streng in de homoseksuele leer dan sommige andere homoseksuele mannen.

Wij hadden een bloeiend liefdesleven, maar dat weerhield hem er niet van er af en toe wat naast te gebruiken, een lieve jongen of een harteloze schoonheid die alles kon krijgen en daarom ook af en toe met een lelijke man vrijde. Want mijn verloofde was niet mooi. Wel charmant. Hij zette zijn charme in om veroveringen te maken en om mijn ongenoegen te bezweren.

'Ik heb toch zo lekker met Bertie gevrijd,' meldde hij toen hij mij voor het eerst in onze liefdesrelatie met zijn overspel confronteerde. Ik was zo onthutst dat ik zo gauw niet wist wat ik moest zeggen.

'Dat vind je toch niet erg?' vroeg mijn verloofde bezorgd, 'het heeft niets met jou te maken hoor. Ik hou nog evenveel van je.'

'Dat is fijn,' zei ik schaapachtig. Later bedacht ik dat ik natuurlijk een scène had kunnen maken, een verongelijkte schreeuwpartij, maar nu die niet had plaatsgevonden, was ik eigenlijk wel blij. Jaloezie is meestal geen verheffende vertoning.

Toen ik eenmaal gewend was aan de figuranten die voortdurend uit de coulissen stapten, begon ik er een zekere waardigheid aan te ontlenen. Ik was onkwetsbaar, ik duldde minzaam wat andere vrouwen tot waanzin zou drijven.

'Ja, met een nicht,' hoonde een vriendin, 'dat telt niet!'

Zij heeft verschrikkelijke dingen gedaan in de tijd dat haar man verliefd op een ander was. Ze heeft alle ruiten van het huis van haar rivale kapotgegooid met bakstenen, ze is het fotoalbum van haar eigen bruiloft te lijf gegaan met een mes, ze is iedere dag die haar man nog thuis heeft doorgebracht, voor hij naar zijn vriendin vluchtte, als een furie tekeergegaan en als je haar kinderen vraagt hoe dat nou was, in de periode toen papa nog thuis woonde, trekken ze wit weg.

In het boek *Jaloezie* van de Nederlandse journaliste Emma Brunt komen tien vrouwen aan het woord die openhartig vertellen hoe zij zich zouden gedragen wanneer zij zich veronachtzaamd voelen, opzij gezet voor iemand die het kennelijk beter doet dan zijzelf.

De interviewster heeft hen uitgezocht op grond van

de onafhankelijke positie die zij hebben ten opzichte van hun geliefde. Geen van hen is arm, allemaal hebben zij een eigen beroep dat hun een tamelijk hoge plaats heeft bezorgd in de maatschappij.

Ze heeft hen uitgekozen omdat zij niet noodzakelijk onder de noemer vallen die Simone de Beauvoir beschreef in haar beroemde boek over het leven van de vrouw, *Le Deuxième Sexe*:

> *Voor vrouwen die hun bestaansrecht ontlenen aan de relatie met een man en hun levensvervulling daarin vinden, is de liefde die hij hun geeft een noodzaak. Als zij zich niet volkomen bemind voelt, wordt zij jaloers en gezien de eisen die ze stelt is dat dus altijd. Haar behoefte komt tot uiting in jaloerse scènes, zo toont ze de bittere smaak van haar afhankelijkheid en haar verdriet, omdat zij niet meer dan een verminkt bestaan leidt.*
>
> *Haar lot ligt geheel en al besloten in de blik die haar geliefde op een andere vrouw werpt, omdat zij haar hele leven met dat van hem heeft verknoopt. Daarom verdraagt ze niet dat hij ook maar in de richting van een andere vrouw kijkt en als hij haar erop wijst dat zij ook wel eens oog heeft voor andere mannen, zegt zij: dat is iets heel anders. Ze heeft gelijk.*

Het machtsverschil tussen de geslachten is in de westerse wereld min of meer gladgestreken sinds de jaren zestig. Vrouwen zijn tegenwoordig niet weerloos overgeleverd aan de man die zij als liefdespartner in hun leven hebben toegelaten. Zij worden niet langer uitsluitend beoordeeld op grond van zijn positie in de maatschappij, zijn bezittingen en het huwelijksgeluk dat hij uitstraalt. Haar taak als stille kracht op de achtergrond wordt niet meer dwingend opgelegd. Zij heeft zelf een beroep, een eigen auto en als hij gelukkig met haar wil worden, moet hij haar toewijding verdienen, anders geeft zij haar gunsten liever aan een man die haar inspanningen meer op prijs stelt.

Maar het is niet helemaal gelukt met de emancipatie van het verliefde hart.

Ik ken een vrouw die in alle opzichten voldoet aan het moderne ideaal van onafhankelijkheid. Zij heeft een hooggeplaatste functie in de gezondheidszorg, ze gaat geregeld naar de sportschool, zodat ze er voor haar vierenveertig jaar uitziet om te stelen, ze heeft een huis met een achtertuin, twee zindelijke katten, ze gaat vriendschappelijk om met de vader van haar drie bijna volwassen kinderen én ze heeft een leuke vriend.

En dat is het probleem. Niet alleen zij vindt hem aanbiddelijk, andere vrouwen krijgen ook weke knieën van hem. In plaats dat zij haar schouders ophaalt en denkt: *Ik ben de leukste en hij is lekker toch van mij*, is ze jaloers. Ze kijkt zijn zakken na als hij bij haar logeert, ze steelt af en toe zijn mobiele telefoon om de sms'jes die hij heeft verzonden te lezen. De sms'jes die hij ontvangt wist hij telkens, want hij weet dat ze hem bespiedt, maar kennelijk heeft hij er geen erg in dat er nog meer bewijslast in een mobiel kan zitten, voor iemand die erop jaagt. Weet hij veel. Voor zover ik kan overzien is hij geen veroveraar. Hij

172

is tevreden met deze vrouw en is niet op zoek naar meer of naar een ander. Maar hij geniet wel degelijk van zijn populariteit. Hij koketteert een beetje en daar wordt zij razend om.

'Laat die man toch met rust!' zeg ik tegen haar, 'hij blijft heus niet méér bij je als je zo idioot doet. Integendeel!'

'Ik kan niet tegen het idee dat hij iets met een ander zou hebben,' zegt zij.

'Vecht dan tegen dat idee, niet tegen hem,' bijt ik haar toe. Ik kan het niet uitstaan dat een vrouw die zo'n voorbeeld voor alle vrouwen zou kunnen zijn, zich zo bekrompen gedraagt. Maar het is sterker dan zij.

Het lukt de vrouwen in het boek van Emma Brunt ook lang niet allemaal om de jaloezie buiten de deur te houden, al proberen ze het uit alle macht.

De een spreekt een kernachtige verklaring uit als: 'Begrijp me goed: dat een man eens met een ander naar bed wil vind ik vrij gewoon hoor, daar zit ik niet zo mee, maar er moet zoveel emotie gehuicheld en verzonnen worden om aan die seksuele behoefte te voldoen en dát stoort me!'

Een andere vrouw vindt dat je een overspelige man kunt aanspreken op de belofte waarmee hij het huwelijk is ingegaan:

'Wat bedoel je nou met die affaire? Want je weet dat ik jaloers ben. Vind je het niet afbrekend voor onze verstandhouding?'

De vrouw die dat zo koel en afstandelijk zegt, weet ook wel dat het niet helpt om iemand die bij de voordeur verliefd staat te zuchten erop te wijzen dat hij op de sofa hoort te zitten met zijn pantoffels aan, maar ze is in ieder geval niet hulpeloos. Ze hoeft haar lot niet gelaten te ondergaan. Zij is maatschappelijk weerbaar, ze kan ook zónder man.

Ik ken genoeg vrouwen die uit vrije wil geen liefdesrelatie onderhouden. Ze zijn volstrekt niet ongelukkig, want ze hebben talloze vrienden en vriendinnen met wie ze van alles ondernemen. Ze voelen zich gewaardeerd en geborgen. Ze hebben geen verlangen naar de omstandigheden van hun getrouwde kennissen, die met wisselend succes een leven met zijn tweeën leiden.

In het boek van Emma Brunt komen ook vrouwen aan het woord die besloten hebben er maar helemaal niet aan te beginnen:

'Ach ja, de mannen? Daar besteed ik niet zoveel tijd aan. Ik vind ze vaak heel vervelend. Het is zo vaak niks en dan boeit het me niet. Ik bedoel nu uiteraard niet de dagelijkse flirt, de spelletjes, dat is weer heel wat anders. Maar een relatie met iemand? Er zijn gewoon geen mannen die ik spannend genoeg vind.'

De vrouw die deze woorden uitspreekt is de beroemde ontwerpster Fong Leng. Ik heb haar niet gekend en ik weet niet of ze eigenlijk eenzaam was of juist een heerlijk leven had.

Ik heb een vriendin die jarenlang alleen is gebleven nadat haar man was overleden. Na een gepaste periode van rouw begonnen de mensen om haar heen behoedzaam te polsen of ze niet weer eens verkering zou zoeken. Ze was pas zesenveertig, een knappe vrouw, en alleen is maar alleen. Maar zij wees het idee resoluut van de hand. Niks ervan, ze wilde geen nieuwe kwibus. Waarom niet vroeg ik haar.

Het antwoord klonk nogal afgemeten: 'Ik heb niet zulke plezierige ervaringen in de omgang met mannen.'

Dat begreep ik wel. Ik ken haar al heel lang en de drie mannen die in haar liefdesleven een rol hebben gespeeld waren inderdaad niet erg aanlokkelijk. De een was een Duitser die al in de eerste week van hun verkering verwachtte dat ze warm eten voor hem kookte. Daarna had ze een ambtenaar die naarmate hij in een hogere loonschaal terechtkwam thuis pedanter uit de hoek kwam en ten slotte was daar Koert, een aardige man, maar een alcoholist die zich stilletjes heeft doodgedronken. Ik kon me wel voorstellen dat haar animo om het maar weer eens te proberen niet zo groot was. Zeven lange jaren bleef ze alleen, omringd door vrienden en kennissen, collega's en ex-collega's, echtparen en vriendinnenclubjes: een zielstevreden alleenstaande.

Maar een paar maanden geleden vertelde ze dat ze nu toch weer kennis aan een man heeft, een aardige man, voor zover ik kan overzien, die niet drinkt en haar het beste vindt dat hem ooit is overkomen. En even zonnig als ze in haar eentje leefde, maakt ze nu weer deel uit van een twee-eenheid.

Terwijl ze vertelde over haar nieuwe liefde, vroeg ik mij af of een mens nu beter af is met of zonder. Voor mannen schijnt het beter te zijn als ze verkering hebben. Bij vrouwen is het minder eenduidig, voor hen geldt toch ook dat ze zich in enquêtes iets gelukkiger melden dan mannen die alleen zijn.

Ik heb vrijwel altijd vaste verkering gehad. Zolang het goed gaat, is het een verbond dat je sterk maakt, troost geeft in moeilijke tijden en alle plezier vergroot doordat je het samen beleeft. Maar zodra de ander zich van je afkeert of om zich heen begint te turen of er nog iets anders te beleven valt, verkeert alle kracht die de relatie je gaf in radeloosheid. Iemand die verguisd wordt, kan onmogelijk zijn zelfvertrouwen in stand houden. Ondermijnd en ten prooi aan demonen van twijfel ontwaakt de jaloezie, een giftig mengsel van woede en verdriet.

Misschien is dat de reden dat ik niet gauw jaloers ben. Ik heb nooit meegemaakt dat een man mij liet staan voor een ander, wel dat een man het uitmaakte omdat hij terug wilde naar zijn eigen gezin. Ik was zelf de vrouw voor wie hij zijn huwelijk had verlaten. Dat voelt bepaald anders, al brak het afscheid mijn hart.

Ik was niet beledigd, niet achteloos terzijde geschoven, zoals veel vrouwen overkomt die de veertig zijn gepasseerd, van wie de man het eens probeert met een jonger exemplaar. Tegen die krenking kan niemand zich teweerstellen.

De enige troost is dat de verlaten vrouw meestal een spannend nieuw leven begint en niet de man. Die komt nog wel eens terecht in omstandigheden die hij twintig jaar tevoren ook heeft meegemaakt: met een nieuwe hypotheek, een nieuwe baby, schoolvakanties en ponyrijlessen.

Ivo de Wijs, Nederlands taalvirtuoos, heeft eens gezegd: 'Ik moet er niet aan denken dat ik mijn vrouw zou verlaten en een nieuw gezin zou beginnen. Dat de onderwijzer op een ouderavond tegen je zegt: *'Tja, meneer De Wijs, onze Bas is geen hoogvlieger!'*

Sommige vrouwen stappen onmiddellijk op zodra hun man zijn blik op iemand anders heeft laten vallen, in de hoop dat ze zo de pijn en de vernedering kunnen ontlopen.

Op een lezing ontmoette ik een vrouw van even in de dertig, die ferm verklaarde dat ze het helemaal had gehad met de mannen.

'O ja?' vroeg ik belangstellend, want ik hoor graag stellige meningen.

Ze vertelde dat ze tot tweemaal toe door mannen was bedrogen.

'Hebben ze je opgelicht?' vroeg ik, want ik vind bedrog zo'n stomme uitdrukking als het om overspel gaat. Je kunt natuurlijk eerlijk beloven dat je de komende vijftig jaar alleen nog met je geliefde naar bed zult gaan en nooit meer met een ander, maar de geschiedenis leert dat van die belofte meestal niet alles terechtkomt. Ik vind het in dat licht bezien een beetje onnozel om net te doen of alleen een achterbakse plurk zoiets infaams zou uithalen.

'Ik vind dat je elkaar moet kunnen vertrouwen!' zei de vrouw.

'Dat vind ik ook,' beaamde ik, 'als er iets akeligs voorvalt, moet je erop kunnen vertrouwen dat de ander je niet onmiddellijk laat vallen.'

Ik ken een echtpaar waarvan de man destijds vreemd is gegaan, niet openlijk maar in het geniep. Hij had thuis gezegd dat hij lid was geworden van een sportclub. Tweemaal in de week ging hij na het avondeten de deur uit met zijn sporttas om drie uur later met natte haren weer thuis te komen.

'Lekker getraind, schat?'

'Ja, héérlijk!'

Je kon zien dat het hem goeddeed. Hij viel af, hij zag er stralend uit.

Op een van zijn sportavonden ging zijn vrouw met een vriendin naar een lingerieparty. Ze moesten even zoeken voor ze het adres hadden gevonden en verdwaalden in een nieuwe wijk. Daar zag de vrouw tot haar verbijstering hun eigen auto geparkeerd staan. Ze keek voor de zekerheid nog even naar het nummerbord, maar er was geen twijfel mogelijk.

Toen de man thuiskwam zat zijn vrouw met een strak gezicht op de bank en vroeg niet of hij lekker had getraind.

Er volgde een vreselijke periode. De man kon niet kiezen. Hij wilde zijn vrouw voor geen goud verliezen, maar de vriendin huilde ook en de seks met haar was zo verschrikkelijk lekker dat hij er geen afscheid van kon nemen. Uiteindelijk won het huwelijk het van de hartstocht en zijn ze bij elkaar gebleven.

'Als zij niet zo sterk was geweest, waren wij nu gescheiden,' verklaarde de man plechtig, 'ik bewonder haar daarom mateloos en onze liefde is dieper dan ooit.'

Bij die woorden legde de vrouw haar armen over elkaar en keek hem vergenoegd aan, als een loodgieter die zojuist een enorme lekkage heeft bezworen.

Ik heb met echtparen gesproken die dezelfde weg hadden afgelegd en zich over jaloezie heen hadden gezet omdat ze elkaar niet kwijt wilden.

In de jaren zeventig gold het als modern en kunstzinnig als je burgerlijke waarden terzijde schoof. Jaloezie was ouderwets, je mocht je lust en je liefde delen met andere mensen dan je huwelijkspartner.

Een vroegere buurvrouw van mij had in die tijd openlijk een minnaar. Haar echtgenoot was vooral een goede vader voor de kinderen en werd door de vriendenkring geprezen om zijn lankmoedigheid over de minnaar van zijn vrouw. Van haar wist iedereen dat ze graag vrijde, zij had wel drie mannen aangekund, dus mocht de man nog van geluk spreken dat ze het bij die ene liet.

In de natuur schijnen vrouwtjes die er verscheidene mannen op na houden hun aantal meestal te beperken tot twee, hooguit drie. Dat bleek uit een onderzoek dat Nicholas Davies, de bioloog uit Cambridge, samen met Ian Hartley heeft verricht naar het gedrag van de heggenmus. Heggenmussen paren gewoonlijk met twee mannetjes, die zich vervolgens beide om het broed bekommeren. Toen de onderzoekers het vrouwtje probeerden te verleiden om er een derde mannetje bij te nemen, sloeg zij hun aanbod af. Als er twee mannetjes zijn is er een kans van 50 procent dat het broed eigen is en vinden de mannetjes het de moeite waard om de boodschappen te doen. Komt er een derde bij, dan verliezen ze de animo. *Laat die andere jongens maar voor de zorg opdraaien*, denken ze dan alle drie.

Toen ik de voormalige buurvrouw jaren later weer eens sprak, was zij weer terug bij haar echtgenoot. Ze vond het welletjes met de buitenechtelijke seks en ze liet geen gelegenheid passeren om haar man te bevestigen in zijn positie als de enige ware liefde die ze nog had.

'Er is een verschil tussen seksueel overspel en emotionele ontrouw,' legde ze uit, 'ik was wel verliefd op die ander, maar dat was alleen lichamelijk. De echte intimiteit had ik met mijn eigen man.'

Ooit was het huwelijk een zakelijke overeenkomst tussen families en was de romantische liefde geen dwingende voorwaarde voor een bruiloft. De wereld van mannen en vrouwen was tamelijk gescheiden. Dat is in veel samenlevingen nog steeds zo. Alleen in de westerse maatschappij zijn mannen en vrouwen innig bevriend geraakt. 'Wij zijn máátjes!' hoor je geliefden plechtig verklaren.

En een maatje besodemieter je niet door met je clandestiene geliefde te praten over de onenigheden die je thuis hebt over de opvoeding van de kinderen, de bezoekjes aan je dementerende schoonmoeder en de verveling in de slaapkamer. Het is al erg genoeg dat je vreemdgaat, maar wat werkelijk bezeert zijn huiselijke geheimen die in het overspelige bed worden besproken.

'Praten doet u thuis,' schrijven Sylvia Witteman en Robert Gooijer in een artikel in *de Volkskrant* over modern overspel. 'Overspel gaat om seks. Seks is verplicht bij elke bijeenkomst en die seks dient alle variaties te omvatten waar u in het echtelijk bed te bescheten of te beroerd voor bent. Zodra het overspel geen spierpijn achteraf meer oplevert, is het tijd voor het laatste fluitsignaal.'

Witteman en Gooijer zijn nogal kordaat met hun adviezen.

'Overspel is niet immoreel, maar amoreel. Al wordt u bij wijze van spreken naakt in de klerenkast van uw minnares aangetroffen: altijd blijven ontkennen.'

Dat lijkt mij geen goede raad. Liegen wordt doorgaans nog zwaarder aangerekend dan vreemdgaan.

Bovendien ontneem je de ander de gelegenheid om op een waardige manier te antwoorden. Als iemand tegen je liegt, móét je wel woedend worden. Overspel kun je ook luchthartig opvatten, al moet je dan wel zelfverzekerd zijn.

Ik ken een echtpaar waarvan de vrouw een vlinder is. Haar man is een paar jaar jonger dan zij. Nu ze van middelbare leeftijd zijn, is dat niet meer zo duidelijk te zien, maar een jaar of tien geleden pronkte zij met hem en hij met haar, want ondanks haar leeftijd kon zij iedere man krijgen. Ze heeft geen kinderen gebaard, haar buik is tamelijk strak, haar borsten staan fier overeind. Ze heeft de energieke tred van een mannequin en als zij over straat gaat, heeft ze veel bekijks. Nog steeds. Daar maakt haar man montere grapjes over.

'Ben jij nooit jaloers?' vragen zijn kennissen hem. Je ziet hem dan glimmen van zelfvoldaanheid terwijl hij achteloos zegt: 'Welnee! Laat haar maar lekker ronddarren. Daar heb ik geen last van.'

Deze man is kennelijk zeker genoeg van haar liefde dat hij zich kan veroorloven haar te laten darren, zoals hij dat noemt. Hij neemt haar escapades lang niet zo serieus als zijn eigen aantrekkingskracht.

Die houding imponeert de mensen in zijn omgeving. Als hij zo kalm en onbekommerd reageert op haar plezier in flirten en hij geen ogenblik de indruk van een bedrogen echtgenoot maakt, moet hij wel een geheim wapen hebben dat zijn vrouw onvoorwaardelijk aan hem bindt.

Jaloezie is in dat licht bezien een soort armeluiskenmerk. Angstige, nerveuze, beschadigde mensen zijn sneller uit hun doen dan grote stabiele ego's. Ze kunnen beter geen liefdesrelatie aangaan met een frivole partner.

Ik heb een collega die veel van vrouwen houdt. Hij is geen likkebaardende versierder, hij heeft echt belangstelling voor het gedachtegoed van vrouwen. Dat zou een mooie eigenschap kunnen zijn, maar zijn interesse duurt niet erg lang. Als hij een poosje naar een vrouw heeft geluisterd, kan hij het niet laten, slaat zijn armen om haar heen en wil nog maar één ding.

In het verleden is deze man getrouwd geweest met een vrouw die precies bij hem paste. Wanneer hij weer eens vreemd was geweest, raasde en tierde ze, maar na een dag of twee vergaf ze het hem en was ze weer gewoon zijn vrouw, die hem een beetje een lul vond, maar toch van hem hield. Ze hadden samen oud kunnen worden, maar zij kreeg borstkanker en was binnen anderhalf jaar dood.

Iedereen verwachtte dat hij nooit meer een relatie aan zou gaan, maar binnen een maand had hij vaste verkering. Het was alleen geen gelukkige verbintenis. De nieuwe vrouw is een lief elfje dat volledig in paniek raakt als hij haar niet voortdurend omringt met liefde en aandacht.

Hij heeft haar genomen om de rouw uit te stellen, uit gewoonte misschien zelfs, en nu weet hij niet goed hoe hij weer van haar af moet komen. Hij kan niet meer aanvoeren dat hij getrouwd is. Daarbij komt dat de verkering weer een zekere regelmaat aan zijn bestaan heeft gegeven en die had hij nodig om bij te komen van de vreselijke tijd die achter hem lag.

'Misschien hou ik echt van haar,' liet hij zich ontvallen toen ik hem vroeg hoe het nou ging, de laatste tijd.

'Ga je alweer vreemd?' vroeg ik en ik hoefde het antwoord niet af te wachten. Hij bloosde tot achter zijn oren.

'Dat zal ze niet leuk vinden,' zei ik.

'Nee,' antwoordde hij ongelukkig, 'ik heb haar beloofd dat het niet meer zal voorkomen, dat ik er helemaal voor ga, met haar.'

Ik denk niet dat het gaat lukken.

Sommige mannen kunnen nu eenmaal niet onverdeeld trouw zijn. Dat is niet erg zolang hun vrouw zich er niet te veel van aantrekt. Maar deze vriendin is veel te kwetsbaar om dat op te brengen en die toverbal van haar kan geen enkel voornemen lang genoeg vasthouden om het uit te voeren. Tegen de tijd dat ze verslagen zullen moeten toegeven dat het niks is geworden, zijn ze allebei aan het eind van hun krachten.

'Tegen jaloezie kun je niets doen,' zei een lesbische vrouw die van zichzelf weet dat ze erg jaloers is. Haar vorige vriendin is in het begin van hun verhouding één keer een heel klein beetje vreemdgegaan en heeft dat de volgende twaalf jaar iedere dag moeten horen. Zij is uiteindelijk van deze jaloerse geliefde weggevlucht omdat ze de verdachtmakingen en het wantrouwen niet langer verdroeg. Ze voelde zich een tbs-veroordeelde op proefverlof.

De eerste maanden na de breuk werd ze nog dagelijks bestookt met woedende berichten via de e-mail, de sms en de voicemail, tot ze alle nummers had veranderd. Vervolgens heeft de afgewezen verloofde zich nog een poosje misdragen door brieven te sturen en dronken in haar portiek te komen lallen, maar ten slotte legde ze zich bij het afscheid neer. Ze vond op den duur een nieuwe vriendin en als ze ook maar een glimp van een vermoeden zou hebben dat deze vrouw vreemd zou gaan, weet ze zeker dat de geschiedenis zich zal herhalen. Daarom hebben ze elkaar volstrekte trouw beloofd.

'Zij heeft die zekerheid nodig, want ze heeft een afschuwelijke jeugd gehad,' zei de nieuwe vrouw vergoelijkend, 'haar moeder was alcoholiste en totaal onberekenbaar.'

Dat kan wel zijn, dacht ik, maar dat lijkt me toch geen excuus om je geliefde zo in de tang te houden.

'Ze houdt nu eenmaal heel veel van mij,' glimlachte ze vertederd.

Ik gaf geen antwoord, maar ik denk niet dat deze verhouding lang leuk blijft.

Sommige mensen houden zoveel van hun verloofde, dat die wel in gebreke móét blijven in het beantwoorden van die lawine van liefde. Mensen die het gevoel hebben dat ze meer geven dan ze krijgen, worden op den duur altijd verongelijkt.

'Jij weet niet half wat ik voor jou allemaal doe,' verwijten ze en wat de ander ook beweert, er blijft altijd een rekening openstaan.

Tegen buitensporige jaloezie kun je natuurlijk wel degelijk iets doen. Een beetje zelfvertrouwen aanleren bijvoorbeeld. Dat helpt.

Mensen die van zichzelf zeggen dat ze jaloers zijn, hebben hele toneelstukken in hun hoofd waarin zij verraden worden door een overspelige liefdespartner. Ze weten precies wat ze zouden zeggen en wat ze zouden doen. Die fantasieën zijn niet goed voor de gemoedsrust en kunnen maar beter niet worden gerepeteerd.

Wanneer er in werkelijkheid aanleiding is om jaloers te zijn, is het nog erger. Keer op keer dienen zich beelden aan van intimiteiten die voorheen waren voorbehouden aan het oorspronkelijke liefdespaar. Nu is daar die Ander die dezelfde woorden toegefluisterd krijgt, die de kleine grapjes hoort, de overgave en de hartstocht beleeft. Als er kinderen zijn, komen die misschien wel op bezoek bij dat crapuul, dat mormel, dat natuurlijk alles in het werk stelt om hun onnozele kinderharten om te kopen. Het is onverdraaglijk!

Als je geliefde niet meer van je houdt en zich wrevelig van je afkeert terwijl jij je hart staat uit te schreien, moet je de wapens opnemen en ten strijde trekken, maar niet tegen de onverlaat die de oorzaak is van alle ellende, die Ander, die er ook niets aan kan doen dat jij bestaat. Die man of vrouw is de vijand niet en zelfs je voormalige verloofde kun je niet treffen met je woede. Die zit lekker warm ingepakt in een donsdekentje van verliefdheid en voelt uitsluitend de zachte golven van de tederheid, de duizelingwekkende kracht van de begeerte. Jij bent een zeurpiet en het is natuurlijk enorm zielig voor je, maar het is zoals het is, op is op en zo nog een paar gemeenplaatsen die geen enkel recht doen aan jouw pijn.

Er is een grote ramp gebeurd, je hart is in een noodgebied veranderd en dat is waar je je troepen heen moet sturen. 's Ochtends moet je een reden hebben om je bed uit te komen, er moet een kleine taak zijn, die niet zo zwaar is dat je hem niet aankunt. Thee zetten of douchen, tien minuten gymnastiek, een blokje wandelen. Het doet er niet toe wat het is, alles helpt, als er maar een rooster is waar je je aan vast kunt houden, want je bent ziek en moet herstellen. Kies een dagindeling, zodat je, hoe dan ook, je tijd doorbrengt van de kleurloze ochtend tot de verschrikkingen van de nacht. Daar heb je alle moed en heldhaftigheid voor nodig.

De eerste dagen weet je niet hoe je de volgende vijf minuten moet doorkomen, maar allengs neemt de pijn af en zijn er momenten waarop je weet wie je ook al weer was. Drie weken duurt de periode van de allerergste heftigheid, in de drie maanden die erop volgen word je met tussenpozen geplaagd door woede en verdriet. Daarna gaat het beter. Na anderhalf jaar is zelfs het meest gebroken hart geheeld en dat is maar goed ook.

Anders lag de wereld vol scherven.

Oostkapelle, februari 2006

Literatuurlijst

Michael Argyle & Peter Trower, *Mensen onder elkaar – het gedrag in de omgang*, Kosmos, Amsterdam, 1978.

Simone de Beauvoir, *De tweede sekse*, Bijleveld, Utrecht, 1982.

Tim Birkhead, *Promiscuity, An Evolutionary History of Sperm Competition*, Faber and Faber, Londen, 2000.

Emma Brunt, *Jaloers. Gesprekken over jaloezie*, De Arbeiderspers, Amsterdam, 1986.

Jared Diamond, *Why Is Sex Fun? The Evolution of Human Sexuality*, Haper Collins, New York, 1997.

Helen E. Fisher, *Anatomy of love. The Natural History of Monogamy, Adultery and Divorce*, Norton, New York, 1992.

Helen E. Fisher, *Waarom we verliefd zijn. De aard en de chemie van de liefde*, Contact, Amsterdam, 2005.

Astrid Joosten, *Verboden liefdes. Openhartige verhalen van minnaressen*, Prometheus, Amsterdam, 2002.

Tony Lake & Ann Hills, *Affairs. The Anatomy of extramarital Relationships*, Open books, Londen, 1979.

Carla van Lingen & Siegfried Woldhek, *Hoe dieren het*

doen. *Passie en paring in de achtertuin*, Fontaine uitgevers, 's-Graveland, 2006.

Elisabeth A. Lloyd, *The Case of the Female Orgasm. Bias in the Science of Evolution*, Harvard University Press, Cambridge MA, 2005.

William H. Masters et al., *Masters and Johnson on Sex and Human Loving*, Little Brown, Boston, 1986.

Geoffrey Miller, *The Mating Mind. How sexual choice shaped the evolution of human nature*, Heinemann, Oxford, 2000. (in 2001 bij Contact verschenen als *De parende geest*).

John Money, *Love & Love Sickness. Science of Sex, Gender Difference and Pair-Bonding*, Johns Hopkins University Press, Baltimore, 1980.

Desmond Morris, *The naked Ape*, Dell, New York, 1967.

Steven Pinker, *How the Minds works*, Norton, New York, 1997 (in 1998 bij Contact verschenen als *Hoe de menselijke geest werkt*).

Martine Poorten, *Virtueel vreemdgaan. Alle digitale geheimen van je partner ontrafeld*, Contact, Amsterdam, 2005.

Joann Ellison Rodgers, *Sex, A Natural History*, W.H. Freeman, New York, 2001.

Carolien Roodvoets, *De duivelsdriehoek*, Aramith, Haarlem, 2001.

Peter Roorda, *Verliefd op een ander. Openhartige bekentenissen van vrouwen*, Het Spectrum, Utrecht, 1991.

T.H. van de Velde, *Het volkomen huwelijk. Een studie omtrent zijn physiologie en zijn techniek, voor den arts en den echtgenoot*, Amsterdamsche Boek- en Courantmaatschappij, Amsterdam, 1926 (1e druk 1923).

Frans de Waal, *De aap in ons. Waarom we zijn wie we zijn*, Contact, Amsterdam, 2005.

A. Zahavi, *The handicap principle. A missing piece of Darwin's puzzle*, Oxford University Press, Oxford, 1997.

Register